El viaje más caro
The Most Costly Journey

El viaje

más

caro

Historias de trabajadores migrantes de agricultura en Vermont, dibujadas por artistas de New England

Editado por
Marek Bennett
Julia Grand Doucet
Teresa Mares
Andy Kolovos

Open Door Clinic
Vermont Folklife
UVM Extension Bridges to Health
UVM Anthropology
Marek Bennett's Comics Workshop

El viaje más caro: Historias de trabajadores migrantes de agricultura en Vermont, dibujadas por artistas de New England
Editado por Marek Bennett, Julia Grand Doucet,
Teresa Mares y Andy Kolovos
© 2021 por *El viaje más caro*
Edición en idioma español
ISBN: 978-0-916718-21-3
LCCN: 2022941453

Estas historias aparecieron por primera vez como mini-cómics publicados por el proyecto *El Viaje Más Caro* en la clínica Open Door, Middlebury, VT (2015-2018).

Foto de la página del título © Caleb Kenna
www.CalebKenna.com

Diseño y producción del libro por
COMICS WORKSHOP de Marek Bennett
www.MarekBennett.com

ÍNDICE:

PRÓLOGO

por Julia Alvarez

El viaje de quienes se ven obligados a abandonar una patria siempre es costoso. Dejan atrás no solo un lugar, sino una familia, una cultura, un idioma nativo, tradiciones que ayudan a cada generación a navegar su camino del pasado al futuro. El número de víctimas es tan grande que es sorprendente que alguien emprenda un viaje así. Pero la necesidad rara vez permite al migrante el privilegio de elegir. Solo hay una opción: sobrevivir para uno mismo y para los seres queridos que quedan detrás.

Aquellos que tienen la suerte de no tener que emprender tales viajes tienen una responsabilidad hacia estos recién llegados. Como nos recuerda nuestra narradora maestra Toni Morrison, "La función de la libertad es liberar a otra persona". Hay muchas formas de dar la bienvenida y ayudar. Podemos apoyar programas que brinden servicios sociales, como la Clínica de Puertas Abiertas (Open Door Clinic), Puentes a la Salud (Bridges to Health), Justicia Migrante (Migrant Justice), entre otros. Podemos ofrecer nuestro tiempo y recursos como voluntarios. Podemos abogar por reformas que humanicen nuestras leyes de inmigración, elegir candidatos que defiendan los principios fundamentales de esta nación, recordando que, incluso si no está en la memoria de cada uno, nuestros predecesores en esta nación de inmigrantes también hicieron ese costoso viaje.

Pero esta oferta de una mano amiga, si bien es efectiva y necesaria, puede sentirse desalentadora, una confirmación de la condición de forastero necesitado. En lo profundo de la comunidad de migrantes existe su propio recurso poderoso: la narración. Una historia puede cruzar cualquier límite, incluido el límite a menudo más fuertemente protegido, entre uno mismo y los demás, entre nosotros y ellos. Es portátil, fácil de transportar a través de desiertos y océanos, idiomas, culturas. Aprovechar este recurso significa que el bálsamo más curativo y duradero proviene de la propia comunidad, un círculo de empoderamiento y autoafirmación. Esto es algo que ninguna persona o programa de ayuda o apoyo puede proporcionar: una forma de dar sentido, de conectarse entre sí. Aquellos que se han sentido aislados, invisibles y descontados de repente encuentran compañeros de viaje y guías que los ayudarán a sortear los peligros, y también las alegrías, que les esperan.

Al leer las historias recopiladas en *El viaje más caro / The Most Costly Journey*, no podemos dejar de maravillarnos de los peligros y desafíos que estos compatriotas (que comparten el hemisferio y el nombre con nosotros) han soportado para venir aquí a ayudarnos con el trabajo que de lo contrario no se haría. ¿Quién más ordeñaría nuestras vacas, cultivaría nuestra comida, la procesaría, cocinaría y serviría? ¿Quién alimentaría y bañaría a nuestros viejitos en residencias y hospitales, cuidaría a nuestros niñitos en guarderías y preescolares? ¿Quién limpiaría y construiría nuestras casas, cortaría el césped y, en una generación o dos, con acceso a la educación, actuaría como nuestros médicos, enfermeras, maestros, directores ejecutivos, senadores y representantes? Así es como América se renueva. El valor, la resistencia, la resiliencia y la compasión fluyen de estas historias a nuestros corazones.

Lo que es especialmente gratificante de estas historias es su naturaleza colaborativa. Los caricaturistas de Nueva Inglaterra se han asociado con narradores de historias de la comunidad migrante, los ciudadanos estadounidenses se unen a los recién llegados. Así es como se ve y suena Estados Unidos cuando trabajamos juntos.

Los primeros estadounidenses fueron ellos mismos viajeros y migrantes. En *Songlines*, Bruce Chatwin habla de las tribus originales de la costa noroeste que vivían la mitad en las islas y la mitad en tierra firme…

Viajaban sobre el mar y navegaban en sus canoas por la corriente desde California hasta el estrecho de Bering, al que llamaron Klin Otto. Las navegantes eran sacerdotisas. Las palabras de esta anciana representan una tradición de unos 15.000 años.

Todo lo que supimos sobre el movimiento del mar se conservó en los versos de una canción. Durante miles de años, fuimos a donde queríamos y volvíamos a casa sanos y salvos, gracias a la canción. En las noches claras teníamos las estrellas para guiarnos, y en la niebla, teníamos los arroyos y las rías del mar, los arroyos y rías que desembocan y se convierten en Klin Otto.

Había una canción para ir a China y una canción para ir a Japón, una canción para la isla grande y una canción para la más pequeña. Todo lo que tenía que saber era la canción y sabía dónde estaba. Para volver, simplemente cantaba la canción al revés.

Quince mil años después, esta sabiduría ancestral todavía es cierta: necesitamos nuestras historias para asegurar nuestra supervivencia, no solo como nación, sino como especie. Necesitamos narrativas que nos ayuden a navegar nuestro camino de regreso al círculo de nuestra humanidad compartida.

Ese es el viaje costoso y crítico que todos emprendemos.

– Julia Alvarez
2020

Julia Álvarez es una narradora cuya familia hizo el costoso viaje a Nueva York en 1960. Luego asistió a la universidad y la escuela de posgrado, convirtiéndose en maestra y autora de muchos libros, incluidas las novelas, *Devolver al remitente* y *De cómo las muchachas García perdieron el acento* y el reciente *Más allá*. En 2013, el presidente Obama le otorgó la Medalla Nacional de las Artes, reconociendo que nuestros narradores son héroes nacionales cuyas contribuciones son vitales para la salud y la felicidad de este país.

PREFACIO

por Julia Grand Doucet

"La vida no es la que uno vivió, sino la que uno recuerda, y cómo la recuerda para contarla."
"Life isn't what one has lived, but what one remembers, and how one remembers it in order to retell it."

— Gabriel Garcia Marquez

Conocí a José Luis en 2017 cuando vino para una cita en la Clínica Open Door en Middlebury, Vermont. Como una clínica de salud gratuita que atiende a adultos sin seguro, no es raro tener como pacientes a trabajadores agrícolas inmigrantes de habla hispana. De hecho, la mitad de todos los pacientes que vemos son trabajadores agrícolas latinos que vienen de los estados del sur de México o del norte de Centroamérica para trabajar en las lecherías locales.

Antes de llegar a Vermont, José Luis nunca había abandonado su pequeño pueblo en las montañas de Chiapas, México. A medida que pasaba el tiempo, le resultó cada vez más difícil alimentar a sus cuatro hijos y pagar sus libros y uniformes en la escuela. Comenzó a considerar sus opciones. Su primo había dejado recientemente México y encontró trabajo en una granja lechera en Vermont, enviando dinero a casa que le permitió a su familia construir una casa, adquirir terrenos adicionales para expandir su finca de café y comprar un camión para transportar sus cultivos al mercado. José Luis pensó en todas las oportunidades que su familia podría tener si se uniera a su primo. Decidió que podría ser el momento adecuado para emigrar a Estados Unidos.

La decisión inicial de venir a los Estados Unidos a menudo no es una decisión en absoluto, sino más bien una necesidad impuesta a hombres sanos que intentan sobrevivir donde hay muy pocas oportunidades de hacerlo. Los estados del sur de México de donde provienen estos hombres son generalmente rurales y empobrecidos. Ante una movilidad u oportunidades económicas limitadas, muchos jóvenes abandonan la educación después de la escuela primaria para trabajar en parcelas de subsistencia con sus padres, tíos y primos. La escuela cuesta dinero y conduce a la pérdida de ingresos debido a que hay menos personal trabajando en los campos. El atractivo del empleo estable y los buenos salarios en Estados Unidos es tentador, a pesar del tremendo riesgo que implica el viaje.

Cuando José Luis llegó a nuestra clínica, tenía una serie de quejas físicas que incluían muchos meses de dolor abdominal inespecífico, calambres de estómago e hinchazón ocasional. Le dolía la cabeza. Le dolían los huesos. Estaba cansado pero no podía dormir. Tenía poco apetito y había perdido peso. Después de muchas citas, diagnóstico por imágenes y pruebas de laboratorio, todo volvió a la normalidad. No pudimos encontrar una explicación médica para sus síntomas.

José Luis no estaba solo. Fue uno de muchos de nuestros pacientes trabajadores agrícolas que presentaban síntomas físicos que no podían diagnosticarse como enfermedades o lesiones somáticas. Allí estaba Jesús, que tenía entumecimiento del brazo izquierdo que irradiaba a sus dedos. Su pierna izquierda tenía "hormigueo" una sensación de hormigueo / ardor. Tenía disminución de la sensibilidad y debilidad en todas sus extremidades. Pedro tenía dolores de cabeza debilitantes que le comenzaban sin ninguna advertencia o razón aparente. Estefan experimentó periódicamente sofocos, sudores y palpitaciones cardíacas. A veces, su pecho y espalda se contraían y no podía respirar. Cada uno de estos pacientes pasó por innumerables pruebas y meses de citas con proveedores médicos y especialistas. Al final, ninguno de ellos fue diagnosticado con un trastorno médico. Tuvimos que concluir que sus síntomas físicos eran manifestaciones de estrés crónico y ansiedad. Todos padecían enfermedades psicosomáticas derivadas de su separación de la familia, la patria, el idioma y la cultura. Despojados de todas las cosas familiares y reconfortantes, y arrojados a la fría y oscura campiña rural de Vermont, se sintieron abrumados por un sufrimiento que no podían nombrar ni afrontar.

Como enfermera titulada que trabaja directamente con estos hombres, no sabía cómo podría ayudar. Los médicos de salud mental en nuestro estado están sobrecargados y tienen largas listas de espera. Por lo general, no son bilingües ni biculturales y la atención es cara. Para estos pacientes que provienen con mayor frecuencia de áreas rurales y empobrecidas en el sur de México, la consejería de salud mental no es culturalmente conocida ni reconocida. La atención que pueden buscar en casa, el tratamiento de curanderos (curanderos tradicionales) y sacerdotes, herbolarios o hueseros (reparadores de huesos), no está disponible aquí.

Me comuniqué con Ximena Mejía, directora de consejería en Middlebury College. Nació en Ecuador y completó su doctorado en Florida donde trabajó con trabajadores agrícolas mexicanos. También trabajó como directora del Centro Intercultural en la Universidad Stetson y tenía experiencia en salud mental de inmigrantes. Ximena brindó al personal de la Clínica información sobre cómo trabajar con la población de trabajadores agrícolas latinos y compartió un proyecto de "fotonovela" sobre el abuso doméstico en el que había estado involucrada. Al final de nuestra reunión inicial, ella comentó: "Hay mucho poder en compartir la historia de uno". Eso me llamó la atención. El simple hecho de dar testimonio de la verdad y la experiencia de alguien, ¿podría ser la clave que nos permitiera ayudar como personal clínico? Compartir y escuchar las historias de otros trabajadores, ¿ayudaría a nuestros pacientes a sentirse menos solos?

El treinta y ocho por ciento de los trabajadores migrantes latinoamericanos en Vermont tienen un nivel de educación de octavo grado, e incluso aquellos con más educación a menudo se sienten incómodos leyendo bloques de texto. Casi el diez por ciento de la población son hablantes de lenguas indígenas cuya segunda lengua es el español. ¿Cómo podríamos recopilar historias de todos los que necesitaban apoyo? ¿Cómo podemos compartirlas con los demás? Los desafíos eran abrumadores.

Más tarde esa semana escuché por casualidad un reportaje en nuestra estación de radio pública sobre el Centro de Estudios de Dibujos Animados (CCS), una escuela dedicada a la enseñanza de dibujos animados ubicada aquí en Vermont. No tenía idea de que existiera un lugar así, especialmente en una proximidad tan cercana. El reportero habló sobre los proyectos que hicieron los estudiantes de CCS y su participación en la comunidad. Me di cuenta de que usar arte gráfico para ilustrar las palabras de los trabajadores era una solución perfecta.

Los cómics son un medio culturalmente familiar en México que históricamente se ha utilizado para comunicar información a personas con bajo nivel de alfabetización y para abordar todo, desde el entretenimiento hasta la política. Me comuniqué con CCS en busca de un artista interesado en asumir el proyecto. Entre las muchas respuestas, destacó el trabajo de Tillie Walden. Su capacidad para evocar emociones fue evidente en las muestras de trabajo que envió.

Comenzamos con una historia recopilada por Teresa Mares del Departamento de Antropología de la UVM que Tillie adaptó a un cómic. Era una simple historia de salir de casa y encontrar un nuevo trabajo, pero los temas del aislamiento, las diferencias culturales y el empleo en un nuevo país eran poderosos.

Trabajando con Teresa, mi colega Naomi Wolcott-MacCausland del programa Bridges to Health de UVM Extension, y pasantes bilingües de UVM y Middlebury College, comenzamos a recopilar historias de trabajadores de todo el estado. Buscamos historias que abarcaran los temas comunes que vimos reflejados en la población: viajes traumáticos, separación familiar, alienación de la comunidad y, lo que es más importante, las habilidades de afrontamiento positivas y negativas utilizadas para navegar estos desafíos. Con cada narración de cada historia, notamos un cambio en el narrador. Una sensación de alivio y de dejarse llevar acompañó sus revelaciones. Para algunos, fue la primera vez que le dieron palabras a sus experiencias.

Maya Angelou dijo una vez: "No hay mayor agonía que llevar dentro de ti una historia no contada ". Este proyecto proporcionó una salida para que los trabajadores comenzaran a procesar su experiencia, comprendieran sus emociones y, en última instancia, ganaran aceptación. Ser testigo de la historia de alguien es una experiencia que enseña humildad y es profundamente conmovedora. Es increíblemente poderoso acompañar a alguien en su camino hacia la catarsis y la curación.

Ahora más que nunca es de vital importancia que nos desafiemos a nosotros mismos para comprender a otros que son diferentes a nosotros, que escuchemos sus experiencias y comencemos a generar compasión tanto a nivel local como global. En una era de odio, ira y deshumanización hacia el "otro", tomarse un momento para escuchar verdaderamente la historia de alguien puede abrir las puertas hacia una mayor unidad y aceptación. Cuanto más uno puede entender las luchas de otro, más fácil es resistir la retórica hiriente que se lanza hacia los inmigrantes. Estas historias son voces individuales sobre experiencias individuales, pero hablan de la experiencia más amplia de lo que significa ser un inmigrante, sentirse un extraño y superar la adversidad.

Con el auge del neo-nacionalismo en todo el mundo, los países continúan volviéndose hacia adentro y retirándose del compromiso internacional mientras la guerra, la violencia y la inestabilidad política llevan a millones a buscar seguridad y refugio fuera de sus propias fronteras. En nuestro propio país, las voces de los morenos, los negros, los indígenas y los blancos se elevan con ira e injusticia ante el esqueleto subyacente de la supremacía blanca sobre el que descansa nuestra sociedad. Debemos hacer una pausa y considerar quiénes somos como país, quiénes queremos ser y los valores que deseamos reflejar. Debemos tomar decisiones a diario para manifestar y trabajar juntos hacia esa visión. Escuchemos la rica diversidad de voces, seamos escuchados en todo lo que tengamos que decir e incorporemos a todos en nuestra conversación nacional.

– Julia Grand Doucet
2021

Julia Grand Doucet (RN) es la enfermera de extensión en la Clínica Open Door y miembro fundador del proyecto "El Viaje".

INTRODUCCIÓN:
Espacios íntimos

Contando cuentos en cuadros pequeños,
de *Algo adentro* a *Bien juntos los dos*

Stephen R. Bissette

Tiene en sus manos un libro único, una recopilación de relatos personales de las vidas y épocas de los obreros migrantes que trabajan (o tratan de trabajar) aquí en los Estados Unidos.

Esta antología es resultado de un trabajo que es singular en muchas maneras.

Por un lado, esta antología ofrece relatos personales sobre las vicisitudes de trabajadores migrantes e inmigrantes. Estos cuentos proveen imágenes, viñetas que son ventanas que nos dejan vislumbrar las esperanzas, sueños, y experiencias de estos trabajadores y sus familias en el mundo real.

Por otro lado, esta antología se esfuerza por transformar lo invisible en visible – pero visible de la manera en que estos trabajadores desean que sea visible, porque por experiencia propia han aprendido que ser visible es arriesgado y puede causar un daño inmediato y real.

En nuestras vidas cotidianas y compartidas, trabajadores como estos permanecen invisibles, a la vez que el ámbito político de nuestra época parece forzarlos, una y otra vez, al primer plano. Estos individuos son lo invisible vuelto demasiado visible, contra sus deseos: son los migrantes y los inmigrantes de quienes nos dicen son una amenaza a nuestra nación, a nosotros mismos, a nuestro sustento y a nuestros seres queridos. Y sin embargo, están por todas partes, trabajando en ranchos y campos, sembrando y cosechando nuestra comida, limpiando casas, sitios públicos, restaurantes, empresas, posadas y hoteles. Están por todos lados y en ningún lado, trabajando más duro que la mayoría de los estadounidenses trabaja o trabajaría en su vida y sin embargo nosotros, los estadounidenses, casi nunca o nunca vemos sus vidas, y por seguro nunca o raramente escuchamos sus historias.

Día tras día, voceros políticos y comentaristas tratan a estos individuos como una abstracción para ser usada, abusada, llamada equivocadamente, etiquetada erróneamente, categorizada, denigrada, demonizada, designada el "otro," en vez de ser reconocida como seres humanos -- a la vez que nunca los dejan realmente ser vistos.

Por eso estas viñetas, estas páginas son presentadas aquí para usted, para que con la ayuda de caricaturistas que tradujeron sus historias a la forma ilustrada, en historietas, pueda usted verlos en estas páginas. Puede escucharlos con estos relatos de sus propias vidas y tiempos. *Algo adentro* está pensado de forma en que usted puede experimentar, leer y sumergirse en él.

Para contar las historias de estos individuos, sí fue necesario trabajar colaborativamente con dibujantes de tiras cómicas para darles vida en estas páginas.

Puede que algunos no estén de acuerdo con esto, en esta época de preocupación con la apropiación cultural, la autenticidad cultural, y sobre todo la legitimidad y los permisos a quién tiene el derecho de contar, o participar en contar, las historias que no son su propia herencia o experiencia.

El hecho es que hay razones muy pragmáticas para el formato colaborativo: estos narradores que no pueden dibujar ipso facto no pueden dibujar sus propias tiras cómicas. Como el maestro de comix alternativo Harvey Pekar dijo una vez sobre los artistas que dibujaron sus historias, "Ellos hacen que parezcan más como yo quiero que parezcan, la forma en que yo las imaginaría si pudiera dibujar."

Buscando salvar esta distancia, esta colaboración actual de *El viaje más caro–The Most Costly Journey* continúa el mismo espíritu creativo y colaborativo que Pekar inició y propició en los años setenta y ochenta. En las palabras de los socios del proyecto, esta "colaboración entre los cuentistas migrantes y los caricaturistas de Nueva Inglaterra" quiere unir a aquellos que vivieron estas historias con aquellos que tienen el talento para dibujar estos cuentos, para ilustrar y con suerte ampliar las experiencias vividas a experiencias compartidas. A lo largo de casi veinte minicómics individuales publicados entre diciembre 2016 y diciembre 2017, una sucesión de narradores migrantes cuenta sus historias, pero sólo "algunos".

Siempre hay mucho, mucho más que contar y es aquí donde Delmar, la familia Cruz, Juana, Pablo, José, Ponciano, Rubén, Lara,

Jesús, Gregorio, Ana, Carlos, Bob, Daniel, Ana, Alejandro, Félix, y otros han elegido compartir algunas de sus historias.

Los socios del proyecto incluyen la Open Door Clinic, el Vermont Folklife Center, Marek Bennett's Comics Workshop, y la University of Vermont Extension y el Departamento de Antropología. Bajo su patrocinio, se ha necesitado el trabajo de muchas personas para llevar estas historias a la página, y aunque se puedo hablar mucho de cada una de las personas involucradas, citarlas simplemente por sus nombres es todo lo que nuestro espacio nos deja hacer.

Estos socios activos -- con manos entintadas a la mesa de dibujo -- representan otro tipo de diversidad, una diversidad de edades y experiencia dando vida con plumas, pinceles, y tintas vibrantes a las historias contadas aquí. Algunos de los artistas dibujaron digitalmente, algunos dibujaron tradicionalmente (esto es, con lápices reales en papel real, usando tinta real, plumas reales, brochas reales, etcétera). Todos hicieron una pausa en contar sus propias historias (de ficción y no ficción) para prestar su tiempo y talentos al relato de estas historias.

De estos artistas, Rick Veitch (quien iluminó la historia de Pablo, "Se sufre para sacar la familia adelante," diciembre 2016), Marek Bennett ("Algo adentro/Something Inside," "Un recuerdo doloroso," "Ya que tengo mi licencia"), y Glynnis Fawkes ("No era nuestro plan") son los más experimentados de los socios creativos que entraron en la liza. De hecho, la carrera de Rick Veitch empezó con el movimiento alternativo de comix en los años 60 y 70, de donde también emergió Harvey Pekar (todo esto es una manera respetuosa de decir que "estos son los más viejos y más sabios de los artistas que contribuyeron"). El hijo mayor de Rick, Ezra Veitch, es de los artistas más jóvenes que contribuyeron a esta obra (con "El lenguaje es poder"), también con Angela Boyle ("Lo mejor de aqui"), Michael Tonn ("Un corazón partido en dos"), Iona Fox ("El primer amor de toda mujer debería ser el amor propio"), Michelle Sayles ("La escuela de la vida"), Teppi Zuppo ("Se sufre para venir," "Serás aceptado"), John Carvajal ("En tus manos"), Kevin Kite ("Vale la pena"), Sashwat Mishra ("¿Cómo explicas esto?"), Kane Lynch ("Lejos de mi familia"), Greg Giordano ("Bien juntos los dos"), y la ya prolífica novelista gráfica Tillie Walden ("Un nuevo tipo de trabajo," "Lo que he sembrado acá"). Hay que decir que Ezra y Greg son de verdad entre los mayores de las artistas más jóvenes, pero todos hicieron su mejor esfuerzo en sus mesas de trabajo, lo que es evidente en este resultado.

Me apresuro a añadir que ninguno de estos artistas trabajó solo; un pequeño ejército de socios diligentes también hizo los preparativos (coleccionando las historias, grabándolas, traduciéndolas, etcétera) para los caricaturistas, y ayudaron con la producción y el perfeccionamiento necesario para la presentación final (esto es, la revisión y el diseño del libro, etcétera.). Algunos de los artistas nombrados anteriormente dieron de su tiempo y talento para hacer esta parte del trabajo también, (Marek Bennett prominentemente entre ellos). Entre aquellos quienes hicieron el trabajo preparatorio y el trabajo subsecuente se encuentran Teresa Mares, Julia Grand Doucet, Susan Stone, Juan Meza, Ammy Martinex, Sara Stowell, Roberto Veguez, Ainaka Luna, Estefania Puerta, Chris Kokubo, Cooper Couch, Diego Galan Donlo, Naomi Wolcott-MacCausland, Alissa Gamberg, Magnolia O, Jessie Mazar, Marito Canedo, Nathan Shepard, Marie Vasitis, Josh Laney, Luis Q. P., Raul Terrones, C. Alice Rodriguez, Dana Bronstein, Olivia Raggio, William Woodcock, Jr., Sebastian Castro, y otros. Algunos eligieron trabajar sin crédito, o como parte de sus esfuerzos continuos con los socios patrocinadores (entre estos se encuentran, por ejemplo, Andy Kolovos, Michelle Ollie, y James Sturm).

Finalmente hay que anotar que las historias compartidas en estas páginas preceden muchas de las recientes actividades opresivas y deficientemente informadas de las agencias gubernamentales que empeoran las vidas de los obreros migrantes e inmigrantes y sus familias. Es triste observar que las historias aquí son todavía artefactos de una época y un sitio distinto en la historia de los Estados Unidos; sin duda, esta compilación no puede ser verdaderamente representativa, mucho menos definitiva, especialmente dados los cambios radicales a las políticas gubernamentales desde junio 2017.

Siempre habrá más historias que contar -- historias que deben ser contadas. Y siempre habrá, pase lo que pase, cuentistas bastante valientes para contarlas.

Ahora, pase la página y deje que empiecen los cuentistas…

– Stephen R. Bissette
Las montañas de locura, VT, 2021

Stephen R. Bissette, un graduado pionero del Joe Kubert School, era instructor en el Center for Cartoon Studies entre 2005 y 2020. Es renombrado por su trabajo en Swamp Thing, Taboo (lanzando From Hell y Lost Girls), '1963,' S.R. Bissette's Tyrant®, la creación colaborativa de John Constantine, y la creación del segundo '24-Hour Comic' en el mundo (inventado por Scott McCloud para Bissette).

Dedicado
a los narradores
y narradoras,
y a sus familias...

Dedicated
to the storytellers,
and to their families...

"EL VIAJE MÁS CARO" presenta:

UN NUEVO TIPO DE TRABAJO

La historia de Delmar
Arte por Tillie Walden

Soy un campesino de 22 años de Chiapas, Mexico.

Vine a los EEUU cuando tenía 15 años.

Crucé el desierto con gente de mi pueblo. No recuerdo mucho del viaje porque yo era muy joven.

Me mudé de rancho en rancho.

Cuando me mudé a Vermont, enfrenté nuevos desafíos.

Un nuevo tipo de trabajo.

Un horario de 10-12 horas de trabajo por día.

Las barreras del idioma.

La comunicación fue difícil, especialmente cuando hubo conflictos con mi patrón.

También pase mucho tiempo encerrado en la casa, aislado.

Pero la tarjeta de permiso de manejar me dio la opurtunidad de salir.

Ir de compras.

El médico.

Los amigos

El fútbol

Me sentí mucho más libre.

No he regresado a mi país en 7 años.

Yo soy uno de seis hermanos.

Mi padre es campesino en Chiapas.

Él cultiva maíz, lechuga, chayote, y otras verduras.

Extraño a mi familia y mi tierra.

Me hace falta la comida.

Especialmente las tortillas de mi mamá hechas a mano.

Pero al menos el campo de Vermont me recuerda de mi terra en Chiapas.

En el futuro, quisiera una esposa y tres hijos.

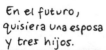

Yo pienso irme de Vermont un día y volver a Chiapas

Y criar ovejas en la finca de mi familia.

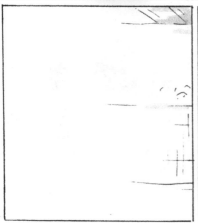

Para aquellos que son nuevos en Vermont y tienen problemas con su patrón,

recomiendo discutir el problema con calma para encontrar una solución.

También te asconsejo hacer todo lo posible para aprendar cosas nuevas.

"EL VIAJE MÁS CARO" presenta:

UN RECUERDO DOLOROSO

*Un inmigrante busca el trabajo
y la dignidad en los EEUU*

*La historia de José
Arte por Marek Bennett*

Durante la compilación de este cómic, José desapareció sin avisar y sin dejar una dirección para contactarlo...

"EL VIAJE MÁS CARO" presenta:

VALE LA PENA

La historia de Gregorio
Arte por Kevin

YO SACRIFIQUÉ MI JUVENTUD AL VENIR A VERMONT.

EN EL RANCHO, TRABAJO ONCE HORAS AL DÍA SEIS DÍAS A LA SEMANA.

FUERA DEL RANCHO, LA GENTE NO ME ENTIENDE PORQUE NO HABLO INGLÉS BIEN.

I'M SORRY. WHAT DID YOU SAY?

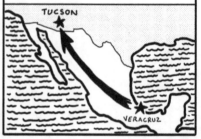

NO QUERÍA DEJAR MÉXICO, PERO ESTABA BUSCANDO MEJORES OPORTUNIDADES PARA MI FAMILIA.

TUCSON

VERACRUZ

MI PADRE ESTABA TRABAJANDO EN UN RESTAURANTE EN TENNESSEE. HABLAMOS DE MI PLAN DE VENIR.

LA VIDA ES DURA AQUÍ, PERO SE GANA BUEN DINERO. TU TÍO VIENE. PUEDES VENIR CON ÉL. DEPENDE DE TI.

HARÍA CUALQUIER COSA POR MI FAMILIA.

MI TÍO FRANCISCO Y YO SALIMOS JUNTOS DE NUESTRA CASA.

EN CAMINO NOS ENCONTRAMOS CON OTROS QUE TAMBIÉN IBAN.

YA CUANDO LLEGAMOS A LA FRONTERA EN SONORA, ÉRAMOS MUCHOS.

NOS DIVIDIERON EN GRUPOS.

HABÍA OCHO EN MI GRUPO: FRANCISO Y YO, DOS PAREJAS, UNO QUE TRABAJABA EN EL TRANSPORTE PÚBLICO EN VERACRUZ Y UNO DE HIDALGO. CUANDO EL COYOTE SE UNIÓ A NOSOTROS, FUIMOS NUEVE.

ESTUVIMOS EN LA FRONTERA UNA SEMANA, ESPERANDO QUE NUESTRO COYOTE NOS GUIARA AL OTRO LADO.

UN DÍA, AL ANOCHECER, EMPEZAMOS A CAMINAR EN EL DESIERTO.

SIEMPRE CAMINÁBAMOS DE NOCHE. LAS NOCHES SON MUY PELIGROSAS.

PERO HAY MAYORES PELIGROS DURANTE EL DÍA.

CAMINÁBAMOS UN POCO...

Y DESCANSÁBAMOS UN POCO.

EN LA PRIMERA NOCHE A LAS DOS MUJERES LES SALIERON AMPOLLAS EN LOS PIÉS.

LAS DOS PAREJAS DECIDIERON REGRESAR.

Y TAMBIÉN NUESTRO GUÍA.

VOY A GANAR MÁS DINERO SI VUELVO Y GUÍO A MÁS GENTE.

USTEDES DIRÍJANSE HACIA AQUELLA MONTAÑA Y PASEN A LA DERECHA

ASÍ LLEGARÁN.

SEGUIMOS CAMINANDO, EVITANDO LAS PATRULLAS DE LA MIGRA...

Y LAS SERPIENTES.

POR FIN LLEGAMOS CERCA DE TUCSON. LLAMAMOS A NUESTRO CONTACTO PERO LO PERDIMOS EN LA CARRETERA.

PASAMOS LA NOCHE BAJO UN PUENTE DEL FREEWAY. HABÍA CARTONES EN QUE DORMIR.

DEJÉ MI BOTELLA DE AGUA VACÍA A UN LADO DE LA CARRETERA PARA MOSTRAR AL CONTACTO DÓNDE ESTÁBAMOS.

NOS ENCONTRÓ EN LA MAÑANA.

NOS LLEVÓ A TUCSON. DESPUÉS DE UNA SEMANA EN EL DESIERTO, PUDIMOS BAÑARNOS Y COMER UN POQUITO. NOS TRAJO ROPA LIMPIA.

NOS PUSO EN CONTACTO CON UN TRANSPORTE A NUEVA YORK. ESTUVIMOS EN UN VAN POR TRES DÍAS SIN PARAR. TUVIMOS QUE ECHARNOS UNO ENCIMA DEL OTRO DURANTE EL VIAJE.

CUANDO LLEGAMOS A NUEVA YORK, NO HABÍA TRABAJOS.

LUEGO OÍ QUE HABÍA TRABAJO EN VERMONT. NUNCA HABÍA OÍDO DE VERMONT. PERO VINE.

Y AHORA ESTÁ BIEN. EL TRABAJO ES DURO, PERO HE APRENDIDO MUCHO AQUÍ.

HE APRENDIDO A SER RESPONSABLE EN MI TRABAJO AQUÍ. GANO BUEN DINERO Y SE LO MANDO A MI FAMILIA.

NO SALGO MUCHO. SI NO TRABAJO, NO GANO DINERO Y MIS PATRONES PUEDEN PENSAR QUE NO SOY RESPONSABLE. NO ESTOY AQUÍ PARA MÍ. ESTOY AQUÍ PARA GANAR DINERO PARA MI FAMILIA.

HE GANADO SUFICIENTE PARA AYUDAR A MI FAMILIA A COMPRAR TIERRA PARA UN RANCHO DE CAFÉ Y PARA CONSTRUIR UNA CASA. EN MÉXICO, NUNCA PODRÍA GANAR DINERO PARA HACER ESO.

EN DOS AÑOS, SI DIOS QUIERE, VUELVO A MI TIERRA.

TODO SERÁ DIFERENTE. MIS HERMANOS Y MI HERMANA SERÁN MAYORES Y MI JUVENTUD HABRÁ DESAPARECIDO. PERO ESTÁ BIEN. ESTOY AQUÍ PORQUE TENGO UNA FAMILIA, Y SIEMPRE TRABAJARÉ PARA ELLA. HACIENDO LO QUE PUEDA.

"EL PRIMER AMOR DE TODA MUJER DEBERÍA SER EL AMOR PROPRIO"

*La historia de Guadalupe
Arte por Iona Fox*

Y ESO ES LO QUE HICE. CONSEGUÍ MI LICENCIA DE CONDUCIR, VENDÍ EL CARRO Y COMPRÉ UNA CAMIONETA, ALQUILÉ UN CUARTO EN UN RANCHO, Y EMPECÉ A VENDER COMIDA.

LAS COSAS EMPEZARON A MEJORAR.

LA GENTE CREE QUE CRUZAR LA FRONTERA ES LA PARTE MÁS DIFÍCIL DEL VIAJE, PERO LA PEOR PARTE ES ENCONTRAR UNA MANERA DE SOBREVIVIR DESPUÉS DE LLEGAR.

EMPECÉ A LLEVAR EN CARRO A OTROS RANCHEROS PARA GANAR DINERO EXTRA. ALGUNOS DE LOS HOMBRES ERAN IRRESPETUOSOS E INAPROPRIADOS.

NO ME INTERESA

YO SÉ QUE ESTÁN SOLOS Y NECESITAN A UNA MUJER, PERO YO NO ESTABA INTERESADA.

LOS HOMBRES QUE TRABAJAN AQUÍ TRABAJAN MUCHAS HORAS AL DÍA. CUANDO VUELVEN A CASA NO QUIEREN COCINAR, SOLO ACOSTARSE.

ZZZ

ENCONTRÉ TRABAJO COCINANDO Y LIMPIANDO EN OTRO RANCHO Y ES ASÍ COMO CONOCÍ A MI ESPOSO.

NOS CASAMOS. ÉL ADOPTÓ A MI HIJO Y TUVIMOS UN SEGUNDO BEBÉ JUNTOS, UNA NIÑA. EN POCO NOS MUDAMOS A NUESTRO PROPIO TRAILER.

AGRADEZCO A DIOS POR TODOS LOS DESAFÍOS QUE
ÉL PUSO EN MI CAMINO. SIN ELLOS, NO PODRÍA
HABER LLEGADO HASTA DONDE ESTOY HOY EN DÍA.

ME GUSTARÍA COMPARTIR MI HISTORIA PARA
AYUDAR A OTRAS MUJERES. NO IMPORTAN TODOS
LOS OBSTÁCULOS A LOS QUE UNO SE ENFRENTA
EN LA VIDA, SIEMPRE HAY LUZ AL FINAL DEL TÚNEL.

SI USTED O ALGUIEN QUE CONOCE ESTÁ SUFRIENDO,
SI ES DOCUMTADA/O O NO, POR FAVOR LLAME
A WOMENSAFE al 1-800-388-4205.

SE HABLA ESPAÑOL.

"EL VIAJE MÁS CARO" presenta:

LEJOS DE MI FAMILIA

*La historia de Carlos
Arte por Kane Lynch*

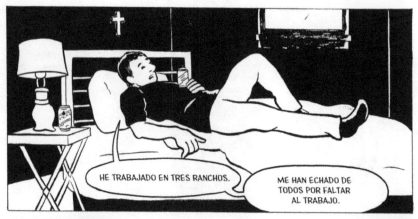

ESTABA PENSANDO EN VOLVER A MI PAÍS PERO ME CORTÉ MUCHO LA MANO.

LA VERDAD ES QUE NI SIQUIERA SÉ CÓMO PASÓ.

ESTABA DEMASIADO BORRACHO.

GRACIAS A DIOS QUE NO ME CORTÉ UN TENDÓN NI NADA, PORQUE ME GUSTA TOCAR LA GUITARRA...

PERO EL DOCTOR DE LA MANO EN BURLINGTON ME DIJO QUE TENÍA QUE DEJAR DE TRABAJAR POR DOS MESES.

PERDÍ LA QUINCEAÑERA DE MI HIJA.

ESTOY PERDIENDO MUCHOS MOMENTOS IMPORTANTES DE MI FAMILIA.

PERO TODOS TENEMOS QUE ESTAR UNIDOS PARA QUE ESTO FUNCIONE.

"EL VIAJE MÁS CARO" presenta:

SE SUFRE PARA VENIR

La historia de Rubén
Arte por Teppi Zuppo

México es muy pobre.

El pueblo donde vivía es probablemente el más pobre del mundo. Por eso es que la gente se quiere mudar aquí a los EEUU.

Me mudé aquí porque estábamos muy mal y sufríamos mucho. No teníamos casa, ni trabajos, ni nada.

Un día le dije a mi mujer:

Me voy para ver si, con suerte, puedo hacer algo.

Y con tu ayuda podremos salir adelante.

...

Eh... bueno, está bien.

Ella le pidió a sus hermanos que me ayudaran a pagar para cruzar la frontera con los Estados Unidos.

Ese primer cruce fue muy triste porque me secuestraron.

Los mismos coyotes, como los llamamos, que me llevaron a la frontera luego me tuvieron de rehén por diez días.

Ya habíamos cruzado el desierto, y el desierto es bien duro para nosotros.

Me perdí y me separé del grupo con que iba.

Después de siete días de estar solo, me uní a otro grupo que estaba cruzando.

Pero los coyotes que me habían llevado me encontraron y me secuestraton.

Te atrapan, te ponen una venda, te tiran en un camión. No tienes idea de dónde te llevan.

Me pusiero en una casita en Texas después que cruzamos el desierto.

Mucha gente dentro de la casa tenía armas.

Tenían capuchas y máscaras para que no pudiera ver sus caras.

Me pusieron en un cuartico, donde estaba solo.

No me maltratron.

Pero solamente me dieron una comida al día, o cada doce horas o cada 24 horas.

Al mediodía me daban un pedazo de pan hasta el mediodía siguiente.

Me decían que si no pagaba el dinero que pedían me iban a matar.

Esto desesperaría a cualquiera.

Tengo familia, no vine aquí a causar problemas, vine a trabajar.

En ese cuarto pensé mucho sobre mi famiia más que de otra cosa, ¿no?

Pensé que iba a morir.

Sólo podía hablar por teléfono con mi cuñado para que arreglara el pago del rescate.

Podrá imaginarse a mi cuñado teniendo que encontrar $1200 dólares más. Y tenía que encontrar la manera de hacerlo llegar a donde yo estaba.

Mándalo como puedas y sácame de aquí.

?!*ℬ#!!..

Me cambiaron de lugar.

Me pusieron con otra gente.

Hay un camión especial, uno que ellos tienen.

Metían a 15 personas ahí y entonces nos mudaban de una casa a otra.

"EL VIAJE MÁS CARO" / ***"THE MOST COSTLY JOURNEY"***

ALGO ADENTRO
- SOMETHING INSIDE -

Historia y pintura por:
Story & paintings by: **El emigrante de Hidalgo**

Historieta por:
Comics by: **Marek Bennett**

TODOS QUEREMOS REGRESAR.

POR LO MENOS A VISITAR A LA FAMILIA.

LLEVO CASI 10 AÑOS AQUÍ EN VERMONT.

ESTAR AQUÍ Y LA FAMILIA EN EL OTRO LADO,

ES ALGO FRUSTRANTE.

PERO NO, NO HE REGRESADO A MÉXICO.

POR LO DIFÍCIL QUE ES, CADA DÍA, QUERER REGRESAR O NO.

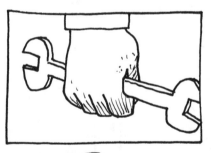

PARA MI, ES UNA CRUELDAD.

SOY AYUDANTE EN GENERAL DE LO QUE ES EL CAMPO,

ESTADO DE VERMONT, EE.UU.

COMO A REPARAR IMPLEMENTOS AGRÍCOLAS

COMO LOS TRACTORES QUE TENEMOS AHÍ.

QUE MANEJAN MIS PATRONES EN EL CULTIVO DEL MAÍZ Y LA SOYA.

ES LO QUE CULTIVAN, NADA MÁS EL MAÍZ Y LA SOYA.

Por que aquí, hay unos que tienen su DESCANSO, que viven con 4, 5 COMPAÑEROS,

que se dedican a GASTAR, porque se dedican a TOMAR.

Y ya tomados, hacen las cosas en DESORDEN,

Tienen PROBLEMAS con la POLICÍA,

Y la policía les DEPORTA

Y como me dijó él, REGRESAN PEOR.

PERO, YO ME DÍ CUENTA QUE NO ERA LO QUE ME DIJO...

¡OYE! ¡Venga a TOMAR, amigoooo!

SIEMPRE CUANDO UNO HACE EL ESFUERZO PARA VENIR AQUÍ

ES POR DARLE ALGO MEJOR A LA FAMILIA.

SI YO TENGO HIJOS, TENGO QUE SACARLOS ADELANTE.

Gracias, no.

PERO, HAY DE TODO.

A VECES HAY MUCHO TRABAJO —

ENTRO A LAS 4 DE LA MAÑANA

TODO EL DÍA OCUPADO.

REGRESO A CASA CASI A LAS 8 DE LA NOCHE.

A VECES NO HAY MUCHO TIEMPO PARA PENSAR

HACE UN RATO, ASISTÍ A REUNIONES EN BRIDPORT.

clase de INGLÉS

CONOCÍ A VARIOS AMIGOS AHÍ, Y PLATICÁBAMOS ...

QUE VINIERON ALGUNOS ALUMNOS DE MIDDLEBURY COLLEGE QUE NOS DABAN INSTRUCCIÓN — ES DONDE APRENDÍ UN POQUITO DE INGLÉS.

UNA ALUMNA NOS PREGUNTÓ: ¿Qué hacen Uds. en sus ratos libres?

TODOS TENEMOS DIFERENTES OPINIONES

Antes, en México ...

Yo había dibujado.

LA PROXIMA SEMANA,
CUANDO MI PATRÓN
ME LLEVÓ A COMPRAR
COMIDA,

TAMBIÉN
COMPRÉ
UNOS
PLUMONES
Y
TINTAS

Y EMPECÉ
A PINTAR.

HE DESCUBIERTO
QUE EL ARTE
ES UNA PASIÓN.

PORQUE MUCHOS NOS SENTIMOS SOLOS,

¿QUÉ ES LO QUE MENOS HACEMOS?

ES CAER EN UN VICIO — SUCUMBIR AL ALCOHOL.

ESO NOS PERJUDICA.

YO LE DIGO, PARA NO ESTAR CON UN PENSAMIENTO MALO,

AGARRO O ME PONGO A HACER ALGO DEL ARTE

"EL VIAJE MAS CARO" / "THE MOST COSTLY JOURNEY" *presents:*

IN YOUR HANDS

The Story of Jesús
Art by John Carvajal

Yo soy de un estado de México. El rancho, a pesar de ser un ranchito pequeño, es muy bonito. Se llama La Julia.

Vivía allá desde que nací hasta que crecí, y me casé.

Lo que no es bonito allá es la gente que vive allí que anda haciendo maldad. Hay mucha delincuencia.

Como los robos

secuestros y extorsiones

Muertes, todo eso.

La vida, con mi esposa y mis hijos era feliz, tranquila.

Pero cambió. Después, andaba muy duro y peligroso. Yo pasaba paranoico por la seguridad de ellos.

Cuando ya decidí que
me venía yo,
me dije,
"Fuerte Jesús."

Se siente feo. Tiene un nudo en
la garganta cuando ya viene uno
en camino, pensando en que ya
deja su familia. No sabe uno si
va a regresar o no.

Llega a la frontera, y ya empieza uno a caminar.
Y dice uno, "Dios mío, en tus manos me pongo,
y me dejes llegar y con el tiempo regresar o ya,
estar allí." Porque hay cuántos y cuántos inmigrantes
en el desierto que se mueren.

Ya hace doce años y no he ido a México. Todos los días, le marco a mi familia para preguntarles cómo están

en la mañana

y en las tardes

Les marco para ver cómo están, cómo siguien.

Por ese lado, no me he desatendido de ellos.

Mi doña pelea porque cree que no pienso en regresar.

¿Cuando?

Algún día voy a regresar.

No sé, pero algún día voy a regresar. Me voy a regresar.

Hace cuatro o cinco meses, los criminales le marcaron a mi esposa. Querían setenta y cinco mil pesos.

¡¿Setenta y cinco mil pesos?!

Si no se los dábamos, iban a matar a mi muchacha.

Tiene tanto tiempo, como cinco o seis horas para conseguir el dinero

Por todas maneras, ¿Cómo ganarlo? ¿Cómo ganar cuatro o cinco mil dólares en cuatro o cinco horas? ¿Cuando lo gana? Jamás.

Me dijeron, "Bueno, te vamos a dar cuatro días más. Y si no, yo mando a mi gente."

¿Cuatro días? No, es tan duro.

Pero uno por la desesperación de los hijos, uno no mira la forma de cómo lo va a hacer.

Lo juntamos, y se lo dimos.

Lleno mi rato libre hablando por teléfono con mi esposa y mis hijos. Y en los otros momentos, el trabajo. Todo es trabajo y no da tiempo para las otras cosas.

Gracias a Dios, me ha dado la fuerza y la fortaleza para poder soportar lo que pasa uno aquí.

Sólo la única diversión, es que a veces los domingos, voy a la iglesia, y me distrae la mente un rato. Pero otra diversión, otra distracción, no. No hay aquí.

Me siento que casi quisiera yo dejarlo todo abandonado, e irme para mi casa, irme a México. Pero no, gracias a Dios, me ha dado la fuerza para aguantar.

Hay que dar gracias a Dios que manda el invierno...

para que estos terrenos, que les cae mucho la plaga en este tiempo...

En el invierno se le muera tantito por el frío.

Y si no les limpia Dios de esa manera los terrenos, también imagínese.

Pero pues sí, yo en el invierno, qué mal es, que temo, que se pase el invierno. .

Ah no, uno anda tranquilo,

Trabajando y todo

Aunque uno caiga frío

Le doy gracias a Dios que manda la lluvia o manda la nieve

Manda el aire

Es lo que nos sostiene hasta ahora. "Gracias", le digo, que me hizo recordar.

Si viniera un inmigrante nuevo de México, yo lo que le aconsejaría es que tratara de trabajar y ahorrar lo más que pudiera...

para que el día de mañana, que si es que piensa de regresar a México, tenga de dónde echar mano. Tenga de qué trabajar.

Le aconsejaría que tratara de no agarrar ningún vicio, tanto de drogas como de cerveza.

Que tratara de trabajar y trabajar y ahorrar lo más que pudiera en México.

Aquí, cuando uno sale no está a salvo de nada. Dios no lo quiera, el día de mañana, si bien un accidente, o bien te agarra inmigración...

Y vas para México, y si no tienes nada. Anda, así como estoy ahorita, a brazos cruzados.

"EL VIAJE MÁS CARO" *presenta:*

SERÁS ACEPTADO

La historia de Daniel
Arte por Teppi Zuppo

Salí del closet a los quince.

En la escuela siempre te hacen bullying porque eres gay. Si no me andaban pegando, me agarraban de las nalgas, cosas así, me decían marica o cosas así.

Desde los dieciséis que dije que me gustaban los chavos, sí mi mamá no lo tomó muy bien.

Le afectó un poco. A ella le costó bastante por razones religiosas.

Yo quería cambiar porque me decían que eso no está bien.

Yo quería enderezar mi vida, pero la verdad es difícil y se engaña uno...

Decirte que te convertirás en hombre y que no serás gay.

Te puedes casar con una mujer pero siempre te van a atraer los chavos.

Más que nada lo más difícil fue desde los 13 años hasta los 18 años.

Era muy difícil aceptarme e intentar que otros me aceptaran por quien era yo.

Incluso a los quince, una vez, intenté, quería suicidarme porque no hallaba ni que hacer.

Llegué a los Estados Unidos a los doce años pero a Vermont llegué solo hace tres años.

Uno de mis amigos de Tabasco me convenció a venir sugiriendo que me brindaban

He tenido suerte de trabajar con personas que conozco de Tabasco en mis trabajos recientes.

La mayoría de los trabajadores saben que soy gay.

Ser gay no quiere decir que no pueda trabajar como cualquier persona.

Yo actúo "normal" y nunca he tenido problemas con nadie.

Nunca me han hecho comentarios inapropiados y yo tampoco.

A los veinte me empece a vestir como mujer.

Mi apariencia es mas como la de una mujer.

Yo quería convertirme en mujer. Pense en hacerme un cambio de sexo pero tenia miedo.

llegué a los Estados Unidos a los doce años pero a Vermont llegué solo hace tres años.

En este momento solo me maquillo y me visto como mujer.

Yo me siento bien así.

En México yo observaba cómo le hacían burla o bullying a otras personas que eran gay o transgénero en las calles.

Me daba miedo que me hicieran burla en la escuela o que me criticaran o que me vieran como un objeto extraño.

Pero aquí, en los Estado Unidos la gente es de mente abierta.

HEY!

Tengo bastantes amigos aquí en Vermont y a mi familia en Texas que saben que soy gay.

Me siento más relajado.

Quiero juntar un poco de dinero y regresare a México.

Las cosas están un poco difícil con inmigración y el nuevo presidente.

Yo no quiero que me afecten estas cosas.

Idealmente yo me quisiera quedar porque me gusta pero no soy legal.

Solo quiero trabajar este año y regresarme a México.

Quiero ahorrar un poco de dinero y empezar un negocio en Mexico.

Quisiera depilarme el cuerpo y arreglarme la nariz. Solo eso.

No pido mucho.

Es difícil identificarse como gay o lesbiana.

No todos pueden aceptar su orientación por razones de familia o amigos.

Si alguien quiere ser mi amigo, bien, y si no, también.

Yo no me enfoco en lo que otras personas tengan que decir, yo tengo el apoyo de mi familia.

Yo he tenido a bastantes personas, hombres y mujeres, aceptarme

"EL VIAJE MÁS CARO" presenta:

UN CORAZÓN PARTIDO EN DOS

La historia de Juana
Arte por Michael Tonn

SOY DE CHIAPAS, DONDE MIS PADRES SEMBRABAN FRIJOLES Y MAÍZ.

ME SALÍ DE LA ESCUELA EN EL TERCERO DE PRIMARIA PARA PODER APOYAR A MI FAMILIA.

PERO AÚN COMO UN ADULTO, NO HABÍA MUCHAS OPORTUNIDADES PARA GANAR UNA VIDA.

ENTONCES CON LA AYUDA DE MI HERMANO, ME FUI.

PERO MI CORAZÓN ESTABA QUEBRADO PORQUE TUVE QUE DEJAR A MI HIJA E HIJO.

ESTUVIMOS CAMINANDO OCHO DÍAS EN EL DESIERTO.

POR LA NOCHE, NO PUDE DORMIR PORQUE ESCUCHABA COYOTES EN LA DISTANCIA Y TENÍA MIEDO QUE HABÍAN CULEBRAS CERCA.

POR DOS DÍAS NO TENÍAMOS AGUA NI COMIDA ENTONCES NOS TOCABA TOMAR DE CHARCOS.

YO TOMABA AGUA POR MI CAMISA PARA NO DEJAR QUE LOS BICHOS ENTRARAN ADENTRO DE MI BOCA.

EL PRIMER TRABAJO QUE TUVE FUE EN SUR CAROLINA EN UN RESTAURANTE DE SONIC BURGER.

UN DÍA, MI ESTÓMAGO ME ESTABA DOLIENDO TANTO QUE NO PUDE TRABAJAR.

EL DOCTOR MI DIJO QUE ESTABA AFORTUNADA DE ESTAR VIVA. MI APÉNDICE SE HABÍA REVENTADO Y TENÍAN QUE OPERAR INMEDIATAMENTE.

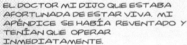

DE ALLI, FUIMOS A KENTUCKY A TRABAJAR EN LOS CAMPOS DE TABACO.

PERO NO NOS TRATABAN BIEN Y YO ESTABA EMBARAZADA.

MI TÍA ME ME DIJO QUE HABÍAN BUENAS OPORTUNIDADES EN VERMONT, ENTONCES NOS FUIMOS.

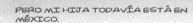

"EL VIAJE MÁS CARO" *presenta:*

LO MEJOR DE AQUÍ

La historia de la familia Cruz
Arte por Angela Boyle

En México No Es Posible Vivir

por Angela Boyle

Lo mejor de aquí es que casi siempre hay trabajo.

Allá se trabaja un día y se descansa un mes.

Para trabajar, tienes que pagarles a los criminales para que no te roben.

Hay mucha corrupción.

Y mucha venta de drogas.

Tabasco, de donde somos, es el primer lugar en el secuestro y el crimen.

Tabasco

Volver allá con nuestro hijo, Alexis, es muy peligroso. En México, cuando estaba sola con él, no lo perdia de vista.

No lo dejaba jugar con nadie o salir sin mi.

Temía mucho por su seguridad.

Incluso llevarlo a la escuela me daba mucho miedo.

Ni el gobierno ni la policía hacen nada para protegernos.

Estás cosas, como la rebelión en Michoacán, nunca aparecen en los periódicos, o las noticias, pero todo el mundo sabe lo que está pasando en las calles.

Si veo que pasa algo malo, no se lo digo a nadie porque si los criminales se enteran, me matan a mí y a toda mi familia.

Todavía tenemos familia allá y nos dicen que las cosas están peor ahora.

Nuestra familia tiene tierra allá. Cosechan cacao fuera de la ciudad y venden la cosecha.

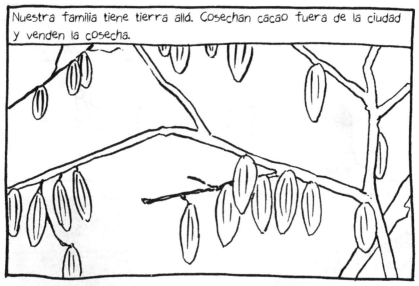

Pero los criminales se llevan parte de la cosecha. Tienes que pagarles dinero o con cacao.

La policía y los criminales son la misma cosa.

Ellos nos exigen dinero para protegernos de ellos mismos.

Cuando finalmente salí de México, dejé a Alexis con mi hermana. Viajé en un grupo de nueve de Tabasco. Y después otros cinco se unieron al grupo nuestro.

La parte más difícil fue al cruzar la frontera.

Por el miedo.

Pero mi miedo era de los hombres que nos traían.

Traíamos cosas con nosotros y yo tenía miedo que me las quitaran.

Los mismos criminales que nos quitan nuestro dinero, llaman a nuestras familias y les dicen que nos tienen secuestrados y que no van a soltarnos hasta que ellos paguen.

Por eso les decimos a nuestras familias que si reciben una llamada así deben llamarnos acá. Y entonces nosotros los llamamos.

Tratamos de protegernos no poniendo nombres en nuestros celulares. Si alguien los roba no tiene toda esa información para usar contra nosotros.

Estamos muy felices aquí en Vermont porque tenemos uno al otro. Y Vermont es lo mejor. No buscamos otro lugar donde vivir.

Mientras nos quedemos en los Estados Unidos, nos quedaremos aquí, en Vermont.

"EL VIAJE MÁS CARO" presenta:

"SE SUFRE PARA SACAR A LA FAMILIA ADELANTE"

La historia de Pablo
Arte por Rick Veitch
Una producción de Eureka Comics

NOS QUEDAMOS UNA NOCHE EN UNA CASA EN ARIZONA.

LUEGO FUIMOS AL ESTE.

AL LLEGAR A NUEVA YORK, NO HABLABA NADA DE INGLÉS.

ENCONTRÉ TRABAJO EN UN RANCHO DE CABALLOS PERO PAGABA MUY POQUITO.

EL TRATO QUE ME DABAN NO ERA MUY BUENO.

DE AHÍ, EMPECÉ A TRABAJAR EN UN RANCHO DE VACAS.

TAMBIÉN ME PAGABAN MUY POQUITO. TRABAJABA BASTANTES HORAS.

PENSÉ QUE ASÍ ERA AMÉRICA – TRABAJOS DUROS, CON POCO PAGO Y EL TRATO QUE NO ERA MUY BUENO.

ENTONCES SUPE DE MI TÍO *CRISTIAN*.

CON EL TIEMPO EL DEDO EXTRA ME EMPEZÓ A DAR MOLESTIAS.

MI PATRÓN ME LLEVÓ A LA CLÍNICA COMUNITARIA A QUE ME LO EVALUARAN. LUEGO A UNA *ESPECIALISTA*.

ME AYUDÓ A APLICAR A *AYUDA FINANCIERA*.

EL HOSPITAL ME DIO UNA INTÉRPRETE. ELLA ME EXPLICÓ TODO CON DETALLES.

EL DOCTOR DIJO QUE EL PODRÍA QUITAR ÉL DEDO EXTRA.

FUE LA PRIMERA VEZ QUE ESTUVE EN UN HOSPITAL.

ME DIERON ANESTESIA PARA DORMIR.

Y AHORA SIENTO QUE TENGO UNA NUEVA MANO.

"EL VIAJE MAS CARO" / "THE MOST COSTLY JOURNEY" presents:

NO ERA NUESTRO PLAN

La historia de Ana
Arte por Glynnis Fawkes

La jefa de donde trabajábamos nos llevó a la clínica. Ahí vimos una doctora.

Veamos que tiene. Haremos unos exámenes.

Al rato...

¡Felicidades!

Van a tener un bebé!

¿No están felices?

¡No esperábamos tener un bebe!

¡No era nuestro plan!

No se preocupen si no quieren tener el bebé, solo lleva 2 meses. Apenas empieza el embarazo.

¡No!

¡Jamás haría eso!

¡No quiero un aborto!

De regreso a casa, la jefa nos dijo:

No se preocupen. No les quitaremos el trabajo. Pueden seguir en la casa.

Sabía que en el rancho no aceptaban hijos, pero la jefa era muy amable.

No compren mucho para el bebé. Tenemos una cuna y todo lo necesario. ¡Que alegría!

No podemos pagar eso.

Quizá tenemos que regresar a Guatemala.

Pues, es lo mejor para ustedes.

Mi esposo empezó a preguntar a sus amigos qué podíamos hacer.

¡Ustedes no deben tener que pagar eso! Hay programas que los apoyan.

Conozco un trabajo en un rancho en Vermont. También el número de una trabajadora de salud "Migrant" que los puede ayudar.

Mi esposo fue a visitar el rancho y la casa. Estaba bonito, por lo que nos mudamos. Ya tenía como cuatro meses de embarazo.

Llegó la promotora de salud de migrantes a visitar y a ayudarnos a aplicar para un seguro médico. También arregló interpretación y transporte para las consultas.

El hospital en Vermont tiene un programa de ayuda financiera que nos ayudó. Este se basó en cuanto dinero ganábamos y el tamaño de la familia. Mi nueva doctora dijo:

Recomiendo que no dure mucho tiempo de pie. Corre el riesgo de un aborto.

¡Oh!

Interprete

La nena nació en Diciembre.

Ella tiene Medicaid porque nació acá. La llevamos a la consulta cada dos meses y recibimos ayuda financiera, un intérprete, y transporte.

¡Va creciendo bien!

También está el apoyo de WIC – le dan formula y comida. Mientras le doy de mamar, me dan comida también la cual compro con una tarjeta que nos dieron.

Vino la pediatra a la casa y me dejó un libro en español sobre la alimentación de la nena.

¡Pronto vas a querer alimentarte a ti misma!

Decidieron hacer un grupo de mujeres hispanas para no sentirnos tan aisladas. Nos reunimos cada mes más o menos. Platicamos de nuestras historias.

Algunas de estas historias son más tristes que la mía; a otras mujeres les ha ido mejor. Nos damos consejos, apoyo, y amistad. Uno siempre necesita de las amistades.

YA QUE TENGO
MI LICENCIA

Historias sobre la conducción
Arte por Marek Bennett

PIERO

SAUL + OLIVIA

PACO

OLIVIA

SAUL

OLIVIA

"EL VIAJE MÁS CARO" presenta:

BIEN JUNTOS LOS DOS

La historia de Alejandro y Felix
Arte por Greg Giordano

EL LENGUAJE ES PODER

La historia de Carlos y Bob
Arte por Ezra Veitch

"EL VIAJE MÁS CARO" / *"THE MOST COSTLY JOURNEY"*

¿CÓMO EXPLICAS ESTO?

HOW DO YOU EXPLAIN THIS?

Historia por:
Story by: **Ana Teresa**

Historieta por:
Comics by: **Shashwat Mishra**

EL DÍA DESPUÉS DE LAS ELECCIONES ME LEVANTÉ A LAS 6 AM.

... AGARRÉ MI CELULAR   Y VI LAS NOTICIAS...

TRUMP ES EL NUEVO PRESIDENTE

I WOKE UP AT 6AM THAT DAY... AFTER THE ELECTION.

... I PICKED UP MY PHONE AND SAW THE NEWS...
TRUMP WAS PRESIDENT.

ME SENTÍ MUY SORPRENDIDA

LA PRIMERA COSA QUE PASÓ POR MI MENTE FUE "¿CÓMO VA A DEPORTAR A MILLONES DE PERSONAS?"

...VINO A MI MENTE UNA IMAGEN MUY DESAGRADABLE DE LOS CAMPOS DE CONCENTRACIÓN DE HITLER

I WAS IN SHOCK.
THE FIRST THING THAT CAME TO MY MIND WAS "HOW IS HE GOING TO DEPORT MILLIONS OF PEOPLE?"...
... THEN CAME AN IMAGE OF HITLER'S CONCENTRATION CAMPS.

NOSOTROS NO SABEMOS QUÉ ES LO QUE ÉL PUEDE HACER.
WE DON'T KNOW WHAT HE CAN DO.

...O LO QUE ÉL SEA CAPAZ DE HACER.
... WHAT HE'S CAPABLE OF DOING.

ÉL DESPIERTA EMOCIONES EN LA GENTE.
HE STIRRED UP EMOTIONS IN PEOPLE.

...LA GENTE QUE ODIA A OTRA GENTE.
... PEOPLE WHO HATE OTHER PEOPLE.

NOSOTROS VIVIMOS EN VT, ES UN ESTADO MUY BUENO PERO...NUNCA SABES SI LAS PERSONAS
CON LAS QUE PLATICAS SON PARTIDARIAS DE TRUMP.
WE LIVE IN VT, IT'S A NICE STATE BUT... YOU DON'T KNOW IF THE PEOPLE YOU
ARE TALKING TO ARE TRUMP SUPPORTERS

EVERYBODY SAID HILLARY WAS GOING TO WIN BUT I
DON'T KNOW WHAT HAPPENED... WHAT WENT WRONG...

I DON'T KNOW HOW SMART HE IS BUT DURING THE CAMPAIGN HE DIDN'T SEEM THAT SMART.
HE WASN'T SAYING GOOD THINGS...
TO NOT JUST HISPANICS BUT TO EVERYBODY ELSE.

HOW IS HE GOING TO RUN THIS COUNTRY?

HOW IS HE GOING TO MAKE AMERICA BETTER?
BY MAKING PEOPLE ANGRY?

IT DOESN'T HELP.
IT ONLY CREATES MORE PROBLEMS.
MORE CRIME. MORE HATE.

EXPLICARLE TODO ESTO A MI HIJA ES MUY DIFICIL.

MI ESPOSO Y YO PODEMOS SER DETENIDOS POR INMIGRACIÓN EN CUALQUIER MOMENTO Y SER DEPORTADOS...

EXPLAINING ALL THIS TO MY DAUGHTER IS VERY HARD.
MY HUSBAND AND I CAN BE DEPORTED OR CAUGHT BY IMMIGRATION AT ANY TIME...

...¿CÓMO LE EXPLICAS ESTO A UN NIÑO?

...HOW DO YOU EXPLAIN THIS TO A KID?

ELLA VIVE EN UN MARAVILLOSO MUNDO, ELLA CREE QUE SUS PAPÁS SON IGUALES QUE LOS PAPÁS DE SUS AMIGUITAS.

SHE LIVES IN A WONDERFUL WORLD. SHE THINKS PAPI AND MAMI ARE EQUAL AS HER FRIENDS' PARENTS.

PERO ¿CÓMO LE EXPLICAS A UN NIÑO QUE NO SOMOS IGUALES...? POR EL SIMPLE HECHO DE NO TENER UN ESTATUS MIGRATORIO LEGAL.

BUT HOW DO YOU TELL A KID THAT WE ARE NOT EQUAL...? THAT WE ARE NOT THE SAME...?

NOSOTROS SOMOS INMIGRANTES.

WE ARE IMMIGRANTS.

NO TENEMOS LOS PAPELES REQUERIDOS.

NO SOMOS BLANCOS.

"WE DON'T HAVE THE REQUIRED PAPERS."
WE ARE NOT WHITE.

¿CÓMO EXPLICAS ESO A UN NIÑO?

HOW CAN YOU EXPLAIN THAT TO A KID?

FOR HER, THIS IS HER COUNTRY, SHE HAS RIGHTS, LIKE OTHER AMERICAN CITIZENS.
SHE DOESN'T HAVE ANYTHING TO WORRY ABOUT.
EXCEPT FOR HER PARENTS.

SHE DOESN'T SEE HERSELF ANY DIFFERENTLY THAN OTHERS.
SHE'S SMART AND CONFIDENT.

EN NUESTRA CASA LOS CRISTIANOS Y LOS MUSULMANES PODEMOS SER BUENOS AMIGOS.

TENER DIFERENTES CREENCIAS NO ES RAZÓN PARA ODIAR A ALGUIEN.

IN OUR HOUSE CHRISTIANS AND MUSLIMS CAN BE BEST FRIENDS.
HAVING DIFFERENT BELIEFS IS NO REASON TO HATE SOMEBODY.

CADA 15 DIAS MI FAMILIA SALE A LOS RESTAURANTES.

A LO MEJOR AHORA TENDRÍAMOS QUE CAMBIAR ESO.

EVERY OTHER SATURDAY OUR FAMILY GOES ON OUTINGS, OR TO RESTAURANTS.
MAYBE NOW WE'LL HAVE TO CHANGE THAT.

PERO YO CREO QUE DEBERÍAMOS DE ACTUAR NORMAL...
PUES, UN POCO NORMAL.

INMIGRACIÓN SABE DONDE VIVIMOS...
DONDE NOS PUEDEN ENCONTRAR...
NADA MÁS NECESITAN VENIR Y TOCAR EN TU PUERTA.

ESPERAMOS QUE NUNCA PASE ESO.

A LO MEJOR EL PRESIDENTE NUEVO NO HACE ESO.

YO REZARÉ POR ESO.

BUT I FEEL WE NEED TO STAY NORMAL... WELL, KIND OF NORMAL.
IMMIGRATION KNOWS WHERE WE LIVE... WHERE TO FIND US... THEY'LL JUST COME KNOCKING.
WE HOPE THAT NEVER HAPPENS.
MAYBE THE NEW PRESIDENT WON'T DO THAT. MAYBE HE'LL CHANGE.
I'LL PRAY FOR THAT.

SI NOSOTROS NOS TENEMOS QUE REGRESAR A MÉXICO, NOSOTROS REGRESAMOS A NADA.

IF WE **HAVE** TO GO BACK TO MEXICO THEN WE GO BACK TO NOTHING.

YO TENGO SOLO 42 AÑOS Y MI ESPOSO TIENE 52.

¿DÓNDE VAMOS A TRABAJAR?

I AM 42 YEARS OLD, MY HUSBAND IS 52.
WHERE ARE WE GOING TO WORK?

¿A DÓNDE VA A IR MI HIJA A LA ESCUELA?

PARA UNA BUENA ESCUELA TENDRÍAMOS QUE VIVIR EN UNA CIUDAD Y PONERLA EN UNA ESCUELA PRIVADA.

WHERE WILL MY DAUGHTER GO TO SCHOOL?
FOR A GOOD SCHOOL WE HAVE TO LIVE IN THE CITY, ENROLL HER IN A PRIVATE SCHOOL.

AUTHORIZED
PERSONNEL ONLY

NO PODRÍAMOS
PAGARLA.

BANK OF

HOW WILL WE PAY FOR THAT?

LO QUE MÁS ME PREOCUPA A MÍ ES LA GENTE SIENDO TAN MALA E INHUMANA CON OTRA GENTE

WHAT REALLY WORRIES ME IS PEOPLE BEING TERRIBLE TO OTHER PEOPLE.

EL ODIO Y EL RACISMO SON MÁS OBVIOS HOY EN DÍA Y EL MOTIVO ES QUE EL PRESIDENTE LES HA DADO EL EJEMPLO DE DECIR TODO LO QUE QUIERAN.

THE HATRED AND RACISM ARE MORE APPARENT NOW BECAUSE THE PRESIDENT HIMSELF HAS GIVEN THEM PERMISSION TO SAY WHATEVER THEY WANT.

NO VACA

ESO VA A CUSAR MUCHOS PROBLEMAS

THAT IS GOING TO CAUSE PROBLEMS.

NO VACANCY

A LO MEJOR LOS AMERICANOS SIENTEN QUE NOSOTROS LES QUITAMOS SUS TRABAJOS

MAYBE AMERICANS FEAR THAT IMMIGRANTS WILL TAKE THEIR JOBS.

PERO YO ESTOY HACIENDO UN TRABAJO QUE NADIE QUIERE HACER.

HAY MUCHA GENTE QUE RECIBE AYUDA ECONÓMICA DEL GOBIERNO Y QUE PUEDE TRABAJAR.

PÓNGALOS A TRABAJAR A ELLOS.

ELLOS TIENEN MÁS DINERO QUE NOSOTROS LOS QUE SÍ TRABAJAMOS

BUT I AM DOING A JOB THAT NO ONE WANTS TO DO.
THERE ARE PEOPLE ON WELFARE, WHO ARE ABLE TO WORK. PUT **THEM** TO WORK.
THEY HAVE MORE MONEY THAN WE DO. EVEN THOUGH WE ARE WORKING.

NADIE NOS DA NADA A NOSOTROS.

NOBODY GAVE US ANYTHING.

NOSOTROS TRABAJAMOS POR TODO.

POR TODO.

WE WORK FOR EVERYTHING.
EVERYTHING.

NOSOTROS PAGAMOS NUESTROS IMPUESTOS.

NOSOTROS NO RECIBIMOS NINGÚN BENEFICIO

WE PAY OUR TAXES.
WE DON'T RECEIVE ANY BENEFITS.

EL DIA QUE FUE ELEGIDO...

ESE DÍA YO DESPERTÉ EN UN MUNDO NUEVO.

THE DAY HE WAS ELECTED... I WOKE UP TO A DIFFERENT WORLD.

AHORA TENGO MIEDO DE ENTABLAR UNA CONVESACIÓN CON ALGUIEN, PORQUE NO SABEMOS QUÉ ES LO QUE PIENSAN.

A VECES, HASTA PRETENDO NO SABER HABLAR INGLÉS.

NOW I'M AFRAID TO HAVE A CONVERSATION WITH SOMEONE NOT KNOWING WHAT THEY THINK.
SOMETIMES I PRETEND THAT I DON'T EVEN SPEAK ENGLISH.

MEXICO

MANDAR A LA GENTE A MÉXICO NO VA A AYUDAR.

¿QUIEN VA A HACER EL TRABAJO DE 11 MILLIONES DE INMIGRANTES?

"SENDING PEOPLE BACK TO MEXICO ISN'T GOING TO HELP."
"WHO'S GOING TO DO THE JOBS OF THE 11 MILLION IMMIGRANTS?"

¿QUIÉN VA A ORDEÑAR LAS VACAS POR 8 HORAS... IR A COMER Y DORMIR POR 2 HORAS...

Y REGRESAR Y TRABAJAR OTRAS 8 HORAS LOS 7 DÍAS DE LA SEMANA?

WHO'S GOING TO MILK THE COWS 8 HOURS A DAY...EAT -SLEEP 2 HOURS...COME BACK AND WORK ANOTHER 8 HOURS, SEVEN DAYS A WEEK?

LOS PATRONES NI SIQUIERA SE TOMAN EL TIEMPO DE
BUSCAR A UN TRABAJADOR AMERICANO AUTOMÁTICAMENTE
BUSCAN A UN MEXICANO...

... PORQUE ELLOS
SABEN QUE SÓLO UN
MEXICANO TRABAJA
16 HORAS AL DÍA.

THE BOSSES DON'T EVEN LOOK FOR AMERICANS, THEY LOOK FOR MEXICANS...
...BECAUSE THEY KNOW ONLY MEXICANS WILL WORK 16 HOURS A DAY.

LOS AMERICANOS NO QUIEREN
ORDEÑAR LAS VACAS...

PIZCAR MANZANAS,
VERDURAS

LOS BLANCOS NO
HACEN ESO.

NO AMERICAN WANTS TO MILK COWS...   PICK APPLES, VEGETABLES.   NO WHITES DO THOSE JOBS.

SI NOSOTROS VAMOS A SUFRIR, TAMBIÉN LOS
BLANCOS PORQUE NO VAN A HACER EL
TRABAJO.

IF WE ARE GOING TO SUFFER THEN SO WILL THE
WHITE PEOPLE BECAUSE NO ONE'S GOING
TO DO THOSE JOBS.

ESTE PAÍS DESAPARECERÍA.

THIS COUNTRY WILL DISAPPEAR.

A LOS MEJOR LOS NATIVOS AMERICANOS
TOMAN SU TERRITORIO DE VUELTA.

HAZ AMÉRICA GRANDE OTRA VEZ.

"HAZ AMÉRICA
NATIVA OTRA VEZ."

MAYBE THE NATIVE AMERICANS WILL TAKE THEIR TERRITORY BACK.
MAKE THIS COUNTRY GREAT AGAIN.
"MAKE AMERICA NATIVE AGAIN."

LA ESCUELA DE LA VIDA

La historia de Ponciano
Arte por Michelle Sayles

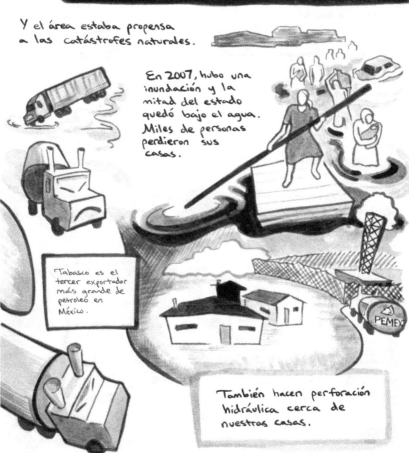

Aprendí sobre Justicia Migrante tres meses después de llegar a Vermont. Fui a la primera asamblea y habían 30 trabajadores. Todos estaban platicando de los mismos problemas, por lo que me sentí relacionado.

Justicia Migrante ofrecía muchas oportunidades y eventos para involucrarme.

Bienvenidos a JUSTICIA MIGRANTE

La primera vez que salí de Vermont con el grupo, fuimos a la capital - Washington DC - representando a la campaña para sacar licencias para manejar.

Tener este grupo que organiza eventos para reunirnos, compartir historias, comida, juegos, y expresarnos es una parte integral para la visión del cambio.

Con el programa "Leche con Dignidad" seguimos un modelo que le da voz al trabajador que nunca ha sido reconocido.

Hay más de 1500 trabajadores agrícolas en la industria láctea en Vermont, y la verdad es que son nuestras manos y trabajo las que sostienen la industria.

Cuando comencé a participar con Justicia Migrante,
empecé a aprender sobre las motivaciones de
migrar y las conexiones entre los trabajadores
migrantes y los sistemas.

He aprendido que los sistemas están
relacionados: Que la opresión existe, la idea
que los ricos tienen poder, la explotación de la
labor, y como la migración está motivada por
estos problemas.

Justicia Migrante es como "La Escuela de
la Vida" porque las cosas que aprendí aquí,
no podría aprenderlas en una escuela tradicional.

Deseo ser una voz para inspirar a la comunidad y levantar la voz de otros trabajadores.
Soy parte de la minoría, entonces entiendo que necesito ponerme de pie y superar eso y decir "Si Se Puede"
LA MIGRACIÓN ES BELLA
Justicia Migrante es la voz de la comunidad que juntos, poco a poco, estamos creando un nuevo día.

"EL VIAJE MÁS CARO" *presenta:*

LO QUE HE SEMBRADO ACÁ

La historia de Lara
Arte por Tillie Walden

Vivo en un apartamento conectado al rancho. Yo salía nada más del apartamento a donde ordeñaba mi esposo a ayudarle a veces.

No veía el sol.

Hace tres años empecé a hacer un huerto. Yo no sabía nada de huertas acá.

Jesie y Teresa me vinieron a hablar sobre la huerta. Me explicaron cómo preparar la tierra y me preguntaron sobre las plantitas que quería. El patrón nos dio un lugar donde sembrar entre los ranchos y la maqui- -naria.

Siempre pasa la migra por la carretera cerca del rancho y fue difícil encontrar un lugar que no se ve desde la carretera. Los patrones dejaron tierra amontonada el día antes que Naomi iba a salir de vacaciones.

Así que en un día con una pala, azadón, y las manos hicimos 3 camitas y sembramos de un solo las semillas y las plantas.

En México había tenido siembra de zanahoria, pepino, cilantro, rábano, y chiles nada más. Acá siembro más cosas.

El primer año pedí: maíz, jitomate, jalapeños, chile de agua, chile poblano, tomatillo, lechuga, rábanos, cilantro, y calabaza.

Y para el segundo año hicimos 2 camitas más y mi esposo pasó más tiempo arreglándolas con madera en todos lados. Aumenté zanahoria, sandia, pepino, ajo, y cebolla y también epazote.

El tercer año aumenté más hierbas: eneldo, tomillo, pápalo y cepiche. Antes tenía que mandar a traer las hierbas de México: manzanilla, hierba buena, y epazote. Ya tengo frescas en el verano y para el invierno las seco.

Desde el primer año ya no estoy comprando tomatillos todo el año.

Hay algunas cosas como el pápalo, el cepiche, el tomillo fresco, la manzanilla, el oregano, fresco, la hierba buena, y poblano son cosas que no puedo conseguir acá.

El primer año llevaba a mi niña en la carriola todavía no caminaba.

Iba 2 veces al día: En la mañana a quitar la hierba y cortar verduras que iba a ocupar en la comida del día y en la tarde me iba a regar.

El segundo año mi hija ya había empezado a caminar.

La primera vez que sembré zanahoria ella iba a arrancar las hojas. Ella cada planta que veía quería arrancarla. Tenía que enseñarle qué era y poco a poco entendió.

Este año ya no arrancó mis plantas. Y este año la niña me ayudó.

Lo que no servía, las hierbas malas, la enseñé cómo quitarlas.

Mi esposo empezó a salir afuera también. Se encargaba de cortar el pasto. Pasaba una hora afuera.

Este año los tres salíamos a la huerta juntos a menudo.

Compramos una sombrilla para tener sombra y estamos más tiempo afuera.

Uno de los beneficios es una distracción. Si no tuviera la huerta estaría todo el día en la cocina viendo la tele. No me aburre estar en la cocina pero es diferente estar afuera.

Ahora voy a escuchar el canto de los pájaros. Me siento más libre como si anduviera en el campo en mi pueblo. Me vienen los recuerdos de cómo era allá.

Otro beneficio es respirar aire fresco y tener verduras y hierbas frescas. Ya no más cilantro podrido.

Lo demás del año, compramos verduras por parte de un mayordomo una vez de la semana. Hacemos una lista y encargamos lo que necesitamos

Es difícil saber que tanto necesito cada semana y hay veces que nos comemos todas las verduras en unos días y ya no tenemos verduras lo demás días de la semana y hay veces que nos sobra y se echa de perder sin poder usarlos.

Con la huerta, corto lo que necesito sin echar a perder o que me falte para una comida.

Desde que empezó la cosecha no he comprado ninguna verdura.

Cosecho diariamente lo que quiero.

Cubrí la huerta hace una semanas para protegerla del frío y todavía estoy cosechando.

Es importante que haya personas que nos introducen a la idea de tener una huerta.

Si no sabemos, nos enseñan cómo preparar la tierra. Nos enseñan, por ejemplo en qué momento se siembra el ajo y cuando se cosecha. No podemos salir al pueblo y necesitamos el apoyo de la gente que nos interesa a hacer el jardín.

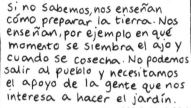
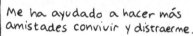

Yo sola si nadie me hubiera visitado a ofrecer ayuda no tendríamos los beneficios de tener una huerta.

Me ha ayudado a hacer más amistades convivir y distraerme.

Nos sirve a todos los que estamos encerrados.

Platicamos sobre nuestra situaciones. Por parte del proyecto vamos conociendo a más y más gente. Estamos en contacto durante el año con estas personas.

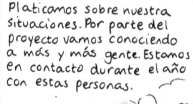

Gracias a los invernaderos por donar las plantas de buen corazón conociendo nuestra situación acá muy aislados y encerrados.

Somos muy felices haciendo las huertas.

Si no fuera por los de los "huertas" no sentiríamos la libertad que nos da salir a atender y cosechar de los jardines.

Ya le he dicho a mi esposo, cuando regresemos a México, voy a tener un jardín.

¡Él va a tener que darle vuelta a la tierra y yo voy a sembrar lo que he sembrado acá y empezar un negocio de venta de verduras!

EPÍLOGO

El viaje más caro/The Most Costly Journey: población y proceso

Teresa Mares, PhD (University of Vermont)
Andy Kolovos, PhD (Vermont Folklife)

La leche, el queso y el helado se han convertido en sinónimo de la marca Vermont y de los paisajes laborales del estado. Los mismos Ben y Jerry son quizás los habitantes de Vermont más queridos del país, a pesar de haber nacido en Brooklyn (sin ofender a Bernie Sanders, también de Brooklyn). Vermont es el estado de EE. UU. con la mayor dependencia de un solo producto para los ingresos agrícolas, ese producto es la leche (Parsons 2010. Según el Consejo de Promoción de Productos Lácteos de Vermont, Vermont vende actualmente más de 321 millones de galones de leche cada año, y el 70% de las ventas agrícolas provienen de este único producto. Aproximadamente el 80% de las tierras agrícolas del estado se dedica a apoyar la producción de lácteos, ya sea para lotes de leche, para pastos o para cultivos de forrajes. Los productos lácteos también representan 6000-7000 puestos de trabajo (más que cualquiera de los empleadores privados clave del estado), proporcionando $ 360 millones en sueldos y salarios (Vermont Dairy Promotion Council 2015).

Si bien la marca Vermont continúa confiando en la imagen de la granja familiar a pequeña escala, la industria láctea de Vermont ha estado sujeta a las mismas presiones de industrialización, consolidación y concentración que vemos en casi todos los sectores del sistema alimentario de EE.UU. Durante los últimos setenta y cinco años, Vermont ha perdido la gran mayoría de sus granjas lecheras. En la década de 1940, había aproximadamente 11,000 granjas lecheras en el estado, a principios de 2020 solo quedaban 677 granjas.

A pesar de estas pérdidas devastadoras y la volatilidad de los precios de la leche fluida, Vermont produce actualmente leche a niveles récord (Parsons 2010). Este aumento de la producción tiene importantes costos ecológicos y sociales (contaminación del agua, condiciones de trabajo injustas y control corporativo, por ejemplo) y se alimenta directamente de las tendencias del consumidor, como el aumento del consumo de yogur estilo griego y proteína de suero, un subproducto que a menudo es más rentable que el queso y el yogur de los que procede.

Aunque un número significativo de granjas lecheras (82%) tiene menos de 200 vacas, las condiciones económicas han empujado a las granjas lecheras de Vermont a crecer con rebaños más grandes para ser más eficientes y seguir siendo rentables. Esta eficiencia y rentabilidad depende de las tecnologías y los horarios de ordeño intensivo, estos últimos facilitados directamente por los trabajadores agrícolas latinos que migran en busca de empleo y la oportunidad de una vida mejor para ellos y sus familias. Desde finales de la década de 1990, Vermont ha experimentado cambios significativos en la fuerza laboral que trabaja en las granjas lecheras que aún dominan el paisaje laboral pastoril. Este cambio es paralelo a las tendencias nacionales e internacionales en el sistema alimentario, donde la mano de obra inmigrante se ha vuelto más central para la producción y las ganancias, incluso si estos trabajadores cuentan con pocas protecciones legales o la posibilidad de movilidad ascendente. El aumento de la migración desde América Latina ha implicado nuevas consideraciones con respecto a los programas, agencias y puntos de venta que brindan alimentos, atención médica y otras necesidades básicas a los residentes de Vermont.

Entre 1000-1200 trabajadores inmigrantes de América Latina

ayudan a sostener la industria láctea de Vermont. Dadas las pocas vías legales para los trabajadores inmigrantes que buscan trabajar en esta industria, se estima que más del 90% de estos trabajadores agrícolas son indocumentados (Radel, Schmook y McCandless 2010; Wolcott-MacCausland y Shea 2016). Casi todos estos trabajadores provienen de los estados del centro y sur de México y el norte de Guatemala, y muchos se han mudado a Vermont después de trabajar en otros trabajos agrícolas en todo el país. Los trabajadores de la lechería se enfrentan a una serie de desafíos emocionales y psicosociales cuando migran desde sus países de origen, cruzan la frontera entre Estados Unidos y México y trabajan en la zona rural de Vermont. Estos desafíos dan como resultado problemas de salud mental importantes y, a menudo, graves, que incluyen ansiedad, depresión y estrés crónico. Para aquellos que encuentran trabajo en la región fronteriza de Vermont, incluidos el Northeast Kingdom y el condado de Franklin, estas preocupaciones de salud mental se ven agravadas por la presencia activa y la vigilancia de la Patrulla Fronteriza y el Servicio de Inmigración y Control de Aduanas (ICE). Junto con estos desafíos de salud mental y emocional, estos trabajadores experimentan un aumento en las tasas de enfermedades físicas que incluyen dolores musculoesqueléticos, problemas gastrointestinales y enfermedades relacionadas con la dieta. Estas enfermedades físicas y mentales se derivan de las formas de violencia sistemática y estructural que se perpetúan tanto por las demandas del sistema industrial alimentario como por la criminalización y marginación de los trabajadores inmigrantes.

Los trabajadores agrícolas lecheros enfrentan desafíos importantes relacionados con la naturaleza rural de la mayoría de las granjas lecheras y el aislamiento físico y social que experimentan (Harrison, Lloyd y O'Kane 2009). Los trabajadores agrícolas en esta industria a menudo trabajan más de 70 a 80 horas por semana durante todo el año y, a diferencia de muchos trabajadores agrícolas temporales que migran varias veces durante el año, los trabajadores lácteos migrantes en Vermont tienden a permanecer en una granja lechera durante un promedio de 12 meses, pero a menudo trabajan en la industria durante muchos años antes de regresar a su país (Shea 2013). Los trabajadores agrícolas en Vermont experimentan barreras adicionales para vivir y trabajar en un estado fronterizo que es uno de los estados con menor diversidad étnica y racial de la nación. Si bien muchos trabajadores agrícolas son invisibles en sus lugares de trabajo, la "blancura" dominante del medio rural de Vermont los deja "hipervisibles" cuando están en lugares públicos (Mares 2019). Esto hace que muchos trabajadores agrícolas tengan miedo de visitar supermercados, clínicas de salud, iglesias o incluso las escuelas de sus hijos.

La mayoría de los datos sobre los trabajadores agrícolas de Vermont han sido recopilados por proveedores de salud y grupos comunitarios que trabajan para organizar a los trabajadores agrícolas. Según los datos más recientes compilados por el Programa Puentes a la Salud de UVM Extension, que conecta a los trabajadores agrícolas con la atención médica y los servicios de salud para 489 personas que se inscribieron en sus servicios entre 2012 y 2017, los dos países emisores más altos fueron México (88%) y Guatemala (10%). Los tres estados emisores más comunes en México fueron Chiapas (51%), Tabasco (23%) y Veracruz (9%). Este grupo de pacientes estaba mayoritariamente identificado por hombres (88%) y solo el 3% hablaba inglés (con el 5% hablando una lengua indígena como su primera lengua). La muestra era mayoritariamente joven (60% menores de 30 años, la mayoría entre 20 y 29 años) y solteros (40%), y el 49% tenía menos de un noveno grado de educación. Solo el 3% de este grupo tenía seguro médico y solo el 4% tenía una licencia de conducir (Wolcott-MacCausland 2017). Si bien estos datos representan solo un subconjunto de la población total de trabajadores agrícolas migrantes del estado, brindan un retrato representativo de los antecedentes demográficos de los trabajadores agrícolas latinos en el estado.

Si bien enfrentan desafíos particulares a la industria láctea, los trabajadores agrícolas de Vermont experimentan varios de los mismos problemas que enfrentan los trabajadores agrícolas latinos en todo el sistema alimentario. Los trabajadores agrícolas latinos sufren de patrones de trabajo irregulares e inconsistentes, y experimentan desempleo al doble de la tasa de todos los trabajadores asalariados (Kandel 2008). Tanto en las granjas lecheras como en otros tipos de granjas, los trabajadores agrícolas se encuentran con condiciones de trabajo peligrosas, que a menudo se ven agravadas por las condiciones de vida inseguras y poco saludables. Dado el alto porcentaje de trabajadores agrícolas sin documentación, estas condiciones de trabajo inseguras, combinadas con los abusos laborales y la explotación, dejan pocos canales para buscar reparación. A partir de 2009, la tasa de mortalidad ocupacional de los trabajadores agrícolas era cinco veces mayor que la tasa de cualquier otro trabajador.

Aunque los trabajadores agrícolas, incluidos los que trabajan sin documentación, pagan miles de millones en programas federales como

Medicaid, Seguro Social y desempleo, no pueden acceder a programas federales diseñados para ayudar a los pobres (Southern Poverty Law Center 2010). Los trabajadores agrícolas tampoco pueden acceder a los beneficios de SNAP, seguro de desempleo, compensación para trabajadores o beneficios por discapacidad. Los trabajadores agrícolas no buscan la atención médica que necesitan debido a las barreras relacionadas con el transporte, la inelegibilidad del seguro médico y la pobreza (Arcury y Quandt 2007; Kandel 2008; Villarejo et al. 2001; Villarejo 2003). Se estima que solo una décima parte de los trabajadores agrícolas tienen seguro médico (Kandel 2008; Southern Poverty Law Center 2010). Estas barreras son particularmente preocupantes dado que la falta de instalaciones de saneamiento adecuadas, junto con una fuerte exposición a pesticidas y otros productos químicos utilizados en labores agrícolas, constituyen un desafío urgente y a menudo mortal que enfrentan los trabajadores agrícolas.

En este contexto, *El viaje más caro* representa un proyecto comunitario de colaboración para utilizar el poder de la narrativa y los cómics para abordar las preocupaciones de salud mental de los trabajadores agrícolas de Vermont. Al utilizar la compleja alquimia de palabras e imágenes yuxtapuestas, los cómics pueden servir como un poderoso vehículo para la transmisión de información y el intercambio de experiencias que tienen que ver con la salud y el bienestar. Por medio de una colaboración estructurada con artistas de cómics locales y dedicados que aplican su arte a narrativas, *El viaje más caro* empodera a los trabajadores agrícolas migrantes de Vermont para compartir sus historias personales con su comunidad y más allá de ella en un formato visual accesible que cautiva y a la vez que educa, sumerge a los lectores en la vida cotidiana y las experiencias de un sector de la economía del estado sub-representado y a menudo invisible. Si bien el proyecto no se basó inicialmente en los principios y el alcance de la medicina gráfica, en el transcurso de la realización de este proyecto nos hemos dado cuenta de que esta forma de literatura ayuda a proporcionar un marco convincente para los objetivos y metas de nuestro proyecto.

Muchos trabajadores lácteos latinoamericanos en el estado experimentan una separación de la familia y la comunidad, y una pérdida de identidad y redes de apoyo. Al llegar a Vermont, se enfrentan a condiciones de vida y de trabajo aisladas, barreras lingüísticas y culturales y falta de movilidad. Además, las motivaciones económicas para migrar conllevan un sentido de responsabilidad y presiones asociadas para satisfacer las necesidades de los que se quedan atrás.

Estos desafíos han sido documentados tanto por proveedores de salud en el estado como por investigadores que trabajan con esta población y que expresan preocupación por el estrés latente, la ansiedad y la depresión. Tener la oportunidad de contar la propia historia y escuchar historias que reflejen la propia experiencia puede ser una forma importante de terapia y curación. Al mismo tiempo, existe un estigma en muchas culturas latinoamericanas en torno al reconocimiento y acceso a los servicios de apoyo para la salud mental. Para muchos inmigrantes latinos, las familias, comunidades e iglesias unidas a menudo ayudan a satisfacer las necesidades de apoyo de quienes luchan con problemas de salud mental. En Vermont, muchos trabajadores agrícolas viven lejos de sus familias extensas, no están integrados en una comunidad y no tienen acceso a iglesias con clérigos bilingües. Además, para aquellos que deseen buscar atención, hay pocos consejeros y terapeutas bilingües y biculturales en Vermont.

Julia Grand Doucet, la enfermera de extensión de la Clínica de Puertas Abiertas de Vermont, y Naomi Wolcott-MacCausland, Directora del Programa Bridges to Health de UVM Extension, observaron a través de sus muchos años de trabajo con la comunidad de trabajadores agrícolas migrantes latinoamericanos en Vermont que una serie de problemas de salud mental y emocional no se diagnosticaban ni se trataban. Doucet y Wolcott-MacCausland eran conscientes de una renuencia basada en la cultura a discutir los problemas de salud mental, pero continuaron buscando formas no amenazantes y culturalmente apropiadas para ayudar a sus clientes. Después de tener noticia sobre el Centro de Estudios de Dibujos Animados en White River Junction, VT y una serie de proyectos que emplean dibujos animados aplicados a problemas en la comunidad, así como el importante papel en la educación popular que han desempeñado los cómics en América Latina, Doucet se preguntó si este enfoque podría ser un medio apropiado para abordar los problemas de salud mental que presenció a través de su trabajo como proveedora de servicios. Después de conocer a Teresa Mares a través de una colaboración de investigación separada, Doucet se dio cuenta de que el poder de contar la historia de uno, y escuchar la de otro, podría ser una forma increíblemente efectiva de tratamiento de salud mental para los trabajadores agrícolas latinos / migrantes. Doucet también creía que la forma gráfica podría ser particularmente efectiva para una comunidad que a menudo tiene habilidades de alfabetización limitadas, tanto en español como en inglés.

Debido tanto al estigma en torno a hablar sobre salud mental como a los limitados recursos culturalmente apropiados en las comunidades de Vermont, aquellos involucrados en la salud de los migrantes en el estado han luchado por encontrar formas significativas de involucrar a los trabajadores agrícolas en la reflexión sobre cómo el impacto de su viaje a Vermont y el aislamiento lingüístico, cultural y geográfico afecta su bienestar personal. Conmovido por el poder de las historias de los pacientes y reconociendo que la "terapia de conversación" no siempre se acepta culturalmente, nuestro equipo de proyecto se inspiró para recopilar historias, con la esperanza de que este proceso innovador de compartirlas pudiera aliviar parte del dolor, el aislamiento, y el sufrimiento de los trabajadores. Además, al leer estas historias, imaginamos que otros trabajadores agrícolas podrían buscar consuelo al darse cuenta de que otros miembros de su comunidad estaban experimentando estas formas de ayuda, tal vez permitiendo un diálogo más abierto sobre preocupaciones de salud mental. Este proyecto ha servido como una forma excepcional de abordar los problemas de salud mental específicos de esta población de una manera no crítica y no amenazadora.

Doucet, Mares y Wolcott-MacCausland comenzaron a recopilar historias a través de entrevistas en persona con trabajadores agrícolas, pero se dieron cuenta de que también necesitarían una fuente de artistas de cómics. Pronto se conectaron con Andy Kolovos, un archivero, etnógrafo y autoproclamado nerd de los cómics, y Marek Bennett, un dibujante de New Hampshire con experiencia de trabajo en América Latina. Como equipo recién formado, estas cinco personas, junto con la asistente estudiantil de investigación, Jessie Mazar y varios voluntarios de Open Door Clinic, y con el generoso apoyo de varios donantes locales, coordinaron la recopilación y transcripción de más de 20 entrevistas, resultantes en 20 narrativas gráficas de formato breve. Estas entrevistas cubrieron una variedad de temas, desde el trauma de cruzar la frontera entre Estados Unidos y México, al abuso de sustancias y la violencia doméstica. Los entrevistadores adoptaron un enfoque abierto y permitieron que el narrador guiara la dirección de su narrativa; sin embargo, también nos encargamos de preguntar sobre los mecanismos de afrontamiento saludables que podrían compartirse con otros trabajadores agrícolas a través del medio de los cómics.

Los métodos etnográficos participativos y la ética formaron la base de los métodos de trabajo del proyecto, que incluyen entrevistas, análisis / edición del material de entrevistas y producción de cómics. Durante el transcurso del proyecto, los miembros del equipo y varios voluntarios de Open Door Clinic y Bridges to Health realizaron múltiples entrevistas en español con varios trabajadores migrantes de granjas lecheras. Estas entrevistas fueron transcritas, condensadas y analizadas por los socios del proyecto para resaltar varios temas dentro de cada entrevista y en todo el conjunto de entrevistas. Las transcripciones se tradujeron al inglés para su uso por parte de personas no hispanohablantes asociadas con el proyecto, incluidos los dibujantes. El proyecto desarrolló dos métodos básicos para la producción de los cómics: uno en el que los dibujantes se reunían y se relacionaban directamente con los entrevistados, y otro en el que los dibujantes trabajaban solo a partir de las versiones en inglés de las transcripciones. En ambos casos, los caricaturistas recibieron comentarios (directamente o a través de los miembros del equipo del proyecto) de los entrevistados y revisaron su trabajo para abordar las observaciones y preocupaciones. Doucet y Kolovos proporcionaron orientación editorial a los dibujantes y, con Bennett, crearon los volúmenes impresos finales.

El resultado principal de este proyecto es una serie de 20 narrativas gráficas de formato corto (y ahora, esta colección) que integra entrevistas de historia oral con trabajadores migrantes, que se centran en la experiencia de mudarse y trabajar en Vermont, y el impacto en la salud mental del estrés, la migración y el trabajo en algunas de las ocupaciones más peligrosas en el sistema alimentario del estado. Las narrativas basadas en cómics han sido ilustradas por dibujantes locales y regionales, incluidos artistas independientes y estudiantes asociados con el Centro de Estudios de Dibujos Animados con sede en White River Junction, Vermont. Los cómics ahora son distribuidos por promotores de salud que realizan visitas a granjas en los condados de Addison y Franklin, así como a los clientes que reciben atención en Open Door Clinic en Middlebury, Vermont. Según los términos de una subvención recibida por Open Door Clinic en 2017, un equipo de profesionales de la salud está desarrollando más planes de estudio y materiales de divulgación basados en los cómics para su uso en la divulgación por parte de promotores de salud y reclutadores de educación para migrantes.

A lo largo del proyecto, la audiencia principal de estos cómics ha sido la comunidad de trabajadores agrícolas, y las solicitudes de financiación y los premios han reflejado esta orientación. Sin embargo, nuestro equipo de proyecto ha descubierto que los cómics también tienen un propósito secundario importante, el de educar al público en general sobre la vida cotidiana de los trabajadores agrícolas y la violencia y vulnerabilidad estructural que experimenta esta población. Este libro representa nuestro intento de realizar este segundo objetivo.

Todos los cómics están disponibles como folletos impresos tanto en español como en inglés y también para su visualización en línea a través de un sitio alojado por el Vermont Folklife Center. Tanto la versión en línea como la impresa han sido utilizadas en las aulas de escuelas públicas y universidades por maestros y profesores que han optado por incluir los cómics como herramientas pedagógicas para las clases de español, geografía, sistemas alimentarios, antropología, literatura y estudios sociales.

Caricatura etnográfica

Como se señaló anteriormente, los métodos etnográficos y la ética guiaron todos los aspectos del proyecto *El viaje más caro*, y el proyecto se basó en gran medida en Etnografía crítica: método, ética y desempeño (2019) de D. Soyini Madison para su marco teórico y metodológico. En su esencia, el trabajo etnográfico está limitado por un lado por la indagación, el proceso de aprendizaje, y por el otro por la representación, el proceso de (re) presentar lo que uno ha aprendido. A través de una investigación fundamentada, los etnógrafos trabajan para comprender cómo alguien que no es ellos mismos da sentido al mundo. A través de la representación, el etnógrafo busca transmitir estas perspectivas utilizando una variedad de formatos potenciales como texto escrito, imágenes, películas, audio y, como en nuestro caso, cómics. El compromiso colaborativo con los narradores en torno al acto de representación fue una parte crucial de nuestro trabajo. La inseparabilidad de la ética y la práctica es una característica definitoria del trabajo de muchos etnógrafos contemporáneos, y las consideraciones éticas, los métodos arraigados y colaborativos informados por las perspectivas de la etnografía crítica, fueron fundamentales para la forma en que *El viaje más caro* se comprometió con nuestros socios de investigación y cómo representamos sus historias en forma gráfica.

La etnografía crítica abarca una gama de enfoques que enfatizan el compromiso reflexivo con los individuos y las comunidades, la creación compartida (dialógica) de significado a través de la interacción continua, y la transferencia de autoridad interpretativa y representativa lejos del investigador y hacia las manos de las personas con quienes ellos trabajan. En términos de Madison, la etnografía crítica "es siempre un encuentro de múltiples lados en un encuentro con y entre otros, uno en el que hay negociación y diálogo hacia significados sustanciales y viables que marcan la diferencia en el mundo de los demás" (2019: 10). De esta manera, los trabajadores agrícolas, los entrevistadores del proyecto, los caricaturistas y los editores fueron todos socios en un esfuerzo colaborativo de desarrollo, que buscaba emplear el intercambio de historias como una herramienta terapéutica para los narradores por medio de la distribución de estas historias en forma de cómic tanto en español, donde sirve como herramienta terapéutica tanto para narradores como para otras personas que viven en circunstancias similares, como en inglés, donde sirve como una forma de llamar más la atención sobre las vidas de este grupo de personas cuya labor, a menudo desapercibida, continúa haciendo viable la agricultura en Vermont.

Para los narradores, el acto de compartir sus narrativas y permitir que se transformen en cómics entrañaba un riesgo, incluido el riesgo de consecuencias sociales por revelar experiencias personales sensibles, así como un riesgo legal de exposición y deportación resultante. Por parte de *El viaje más caro*, el proyecto conllevó una tremenda responsabilidad, principalmente limitar el riesgo, así como adherirse a la misión del proyecto, comprometerse sinceramente con estas personas que confiaban en nosotros, respetar sus aportes a nuestros esfuerzos y representar de manera justa las experiencias de una población desplazada separada de nuestro equipo de proyecto por idioma, cultura, oportunidad económica y posición legal. No nos apropiamos de las narrativas compartidas con nosotros. Más bien, se nos dio permiso para hacer uso de ellas para fines designados. Además, nuestras obligaciones requerían que los investigadores, editores y dibujantes aceptaran los comentarios de los narradores y modificaran el producto final a satisfacción de los narradores. El intercambio interactivo de nuestro proceso y la cesión del máximo control editorial a los narradores marca un elemento central de nuestra praxis etnográfica crítica, y es una de las formas clave en que *El viaje más caro* se diferencia de muchos otros esfuerzos de cómics de no ficción hasta la fecha. Los procesos de colaboración empleados por el proyecto se desarrollaron con el tiempo y variaron en respuesta a las necesidades de los diferentes narradores individuales y las habilidades en español de los dibujantes.

Estos fundamentos etnográficos de nuestro trabajo nos

inspiraron a enmarcar *El viaje más caro* como un esfuerzo incrustado en el campo emergente de la historieta etnográfica: el uso de las historietas como vehículo para la representación etnográfica. Un aspecto del paraguas más amplio de la etnografía gráfica, la caricatura etnográfica reúne los impulsos y perspectivas del dibujante de no ficción y les confiere la sensibilidad del etnógrafo. Como señala el antropólogo Jay Ruby (2000), "Si Marx, Foucault, la semiótica y el capitalismo pueden representarse de manera productiva en los cómics, ¿por qué no una etnografía?" (263). Los cómics ofrecen ventajas y posibilidades distintivas a la etnografía, al igual que la etnografía lo hace para los cómics.

Algunos de los primeros cómics etnográficos autoconscientes fueron producidos por la antropóloga Gillian Crowther mientras estudiaba en la Universidad de Cambridge (1990, 2015). En los últimos años ha surgido un número creciente de cómics etnográficos y enmarcados etnográficamente (por ejemplo, Atkins nd, Bartoszko, Leseth y Ponomarew 2010; Galman 2007, 2017; Hamdy, Coleman, Bao y Brewer 2017; Theodossopoulos 2015; Venkataramani 2015; Walrath 2016; Wright 2018). Como señaló Hannah Wadle (2012), hasta la fecha la antropología visual ha proporcionado la base teórica central para la caricatura etnográfica, con una perspectiva adicional tomada del trabajo de académicos como Afonso y Ramos (2004), Causey (2015, 2019), Ingold (2011). , 2012), Hoffmann-Dilloway (2016a, 2016b, 2016c), Taussig (2011) y otros que exploran las implicaciones del dibujo en el contexto del trabajo de campo. Las investigaciones fuera de las disciplinas etnográficas también informan el pensamiento sobre las caricaturas etnográficas, sobre todo el concepto de "presenciar" de Hilary Chute, tal como se articula en su *Disaster Drawn* (2016). Obras como la historia gráfica de Trevor Getz y Liz Clarke, *Abina and the Important Men* (2015) proporcionan importantes piedras de toque para el cómic como comunicación académica, y las obras clásicas de la no ficción gráfica en sí mismas como Bechdel (2007), McCloud (1994), Sacco (2001), Satrapi (2003), Spiegelman (1973) y otros proporcionan un contexto amplio para el uso de los cómics en la narración de historias de no ficción.

Como sugiere lo anterior, la caricatura etnográfica solo ha comenzado a emerger en serio como una forma discreta de práctica, con académicos como Kuttner, Sousanis y Weaver-Hightower (2018) discutiendo el surgimiento de los cómics como un vehículo para la investigación académica en múltiples campos, incluido el de historia, educación, medicina gráfica y antropología, entre otros; en particular Wadle (2012) y Galman (2009), reflexionan sobre la intersección del cómic y la etnografía en relación a la teoría y la práctica. Las implicaciones de los cómics como medio de representación etnográfica están realmente comenzando a articularse. Con respecto a *El viaje más caro*, el instinto de teorizar la práctica se centra en la siguiente pregunta: ¿cómo el medio del cómic (incluidos sus elementos estructurales y las convenciones formales que dan forma a cómo se manifiestan estos elementos) enriquece la práctica y la representación etnográfica y potencialmente las limita?

La caricatura en la práctica etnográfica representa una fusión de dos elementos distintos ya ampliamente empleados por los etnógrafos en el campo: el dibujo y la escritura. Sin embargo, las caricaturas son más que imágenes fusionadas con palabras: es una unión de imágenes secuenciales y texto con una intención narrativa distinta. La caricatura etnográfica extiende la idea de representación visual en etnografía más allá de los roles estáticos que ha tenido históricamente, por ejemplo, un boceto realizado para preservar la memoria de un objeto para referencia futura, y en la creación de una representación dinámica que pone en primer plano lo visual y lo reviste con poder narrativo. Este proceso abre nuevas formas de pensar sobre el texto etnográfico y las vidas representadas en él.

Sin embargo, más allá de simplemente abrir nuevas formas de representar la experiencia etnográfica, la caricatura ofrece a los etnógrafos y a sus socios de investigación un enfoque práctico y poderoso de la representación que encaja con las consideraciones metodológicas y éticas que sustentan los enfoques etnográficos críticos. En el caso de *El viaje más caro*, el cómic y la etnografía se unieron concretamente de dos maneras: a través del desarrollo etnográficamente informado de métodos de trabajo colaborativos que unieron a narradores y dibujantes migrantes como socios en la representación, y a través de la capacidad de los cómics para presentar narrativas de manera íntima, personal y poderosa, sin dejar de proporcionar anonimato y proteger a los miembros individuales de una población vulnerable de la exposición excesiva al riesgo. A continuación, abordamos estos conceptos en términos generales además de brindar ejemplos concretos que surgieron en la ejecución del proyecto *El viaje más caro*.

La orientación etnográfica hacia la colaboración se basa en el compromiso directo con los socios de investigación en torno a la interpretación y representación de sus experiencias. Como se señaló anteriormente, la colaboración y el diálogo son características de los enfoques etnográficos críticos que informaron *El viaje más caro*. Aunque los métodos de trabajo colaborativo de este tipo eran familiares para los etnógrafos que participaban en el proyecto, para muchos de los caricaturistas los procesos colaborativos que surgieron a medida que se desarrollaba *El viaje más caro* marcaron un alejamiento de otros proyectos de cómics de no ficción con un marco más periodístico en que habían trabajado en el pasado. En el contexto de *El viaje más caro*, la colaboración tomó varias formas a lo largo de un continuo que va desde asociaciones recíprocas más profundas en un extremo hasta un simple toma y daca mediado por el otro. En un extremo, los caricaturistas pasaban tiempo personal con el narrador, interactuando con él directamente y moviéndose a través de sus mundos como observadores participantes o comunicándose con ellos por teléfono, mientras trabajaban juntos para revisar la presentación de una historia. En el otro extremo, los socios del proyecto compartieron borradores de cómics con los narradores y luego transmitieron sus comentarios a los dibujantes para que pudieran hacer revisiones y luego volver a enviar su trabajo. Todos los narradores influyeron en la configuración de cómo se representaban sus historias y, en varios casos, los dibujantes y narradores participaron directamente en la revisión y elaboración de los cómics finales.

Un ejemplo del desarrollo de estos métodos de trabajo colaborativo se puede encontrar en el proceso de revisión de "Un recuerdo doloroso / Painful to Remember" de José y Marek Bennett. Un recuerdo doloroso se centra en el trauma experimentado por José durante su viaje de Guatemala a Estados Unidos. En un momento del viaje por el desierto del norte de México, un miembro del grupo es mordido por una serpiente de cascabel y abandonado. La historia contada por José es extremadamente dramática y Bennett, buscando representarla de manera precisa y completa, y capturar su textura afectiva, la plasmó en forma de cómic de la siguiente manera:

Borrador de *Un recuerdo doloroso/Painful to Remember* (Arte por Marek Bennett)

Cuando Bennett compartió la historia con José, éste comentó que el evento real sucedió extremadamente rápido, y que la representación de Bennett, aunque no incorrecta, no logró captar lo repentino de la experiencia real y la rapidez con la que se desarrolló. En respuesta a los comentarios de José, Bennett regresó al segmento y lo reorganizó, reduciendo la mordedura de serpiente en sí de siete paneles a dos, y todo el incidente de once paneles a cinco.

Bennett luego compartió la versión revisada con José, quien sintió que este nuevo enfoque capturaba con mayor precisión la experiencia. De esta manera, Bennett y José entablaron un diálogo sobre cómo se representaría la historia de José ante el mundo, con José guiando y determinando la dirección del trabajo realizado por el dibujante. Bennett cedió el control del autor a José y luego dirigió sus esfuerzos a realizar, lo mejor que pudo, la historia de José desde la perspectiva de José. Si bien no todos los dibujantes se relacionaron con los narradores de historias en este nivel, debido a las barreras del idioma, la distancia, la disponibilidad y otros factores, al menos todos los narradores tuvieron la oportunidad de dar su opinión sobre los cómics terminados.

Versión final de *Un recuerdo doloroso/Painful to Remember*

Finalmente, durante el transcurso del proyecto, los coordinadores mantuvieron una aguda conciencia de los riesgos de la participación de los trabajadores agrícolas en *El viaje más caro*. Con este fin, como es común en el trabajo etnográfico, ofuscamos las identidades de los entrevistados mediante seudónimos, modificamos los detalles de las historias individuales para eliminar cualquier información potencialmente identificable y no nombramos las ciudades y granjas donde los narradores trabajan y residen. En el caso de las narrativas etnográficas textuales, esto solo habría sido adecuado. Sin embargo, dado que *El viaje más caro* implicó la creación de una narrativa etnográfica visual en forma de cómics, estos mismos principios debían extenderse también al ámbito de la representación visual. El uso de herramientas tradicionales de narración visual en etnografía (fotografías, películas y videos) a menudo crea desafíos para mantener el anonimato de los socios de investigación. A diferencia de estas herramientas, las caricaturas permiten una presencia visual personalizada que se puede emplear junto con enfoques textuales estándar, lo que resulta en una narrativa anónima con fuertes componentes visuales.

Wadle (2012) y dos obras que cita, Bartoszko, Leseth, Birgitte y Ponomarew (2010) y Atkins (s.f.) destacan el poder de los cómics para llevar la representación visual anónima a la etnografía. Bartoszko y et al también reflexionan sobre la necesidad de equilibrar el anonimato visual y narrativo de manera que no solo protejan a los socios de investigación, sino que también respeten la integridad de su experiencia reportada, "Al igual que en la etnografía escrita, hemos manipulado algunas situaciones para anonimizar a los informantes. Este proceso se llevó a cabo con el mismo nivel de precisión y consideración ética que se haría con la etnografía escrita. Nuestro objetivo era contar una historia confiable y, por lo tanto, presentar un resultado científico confiable "(Bartoszko et al: 8).

En *El viaje más caro* abordamos estos factores como una faceta de nuestra praxis colaborativa más amplia, invitando a los narradores al proceso de determinar cómo fueron representados visualmente como individuos y cómo los caricaturistas representaron los lugares a través de los cuales se movieron. En el caso de la representación individual, los dibujantes y coordinadores de proyectos se comunicaron con los narradores siempre que fue posible para que opinaran sobre cómo aparecerían. Si bien muchos narradores no tenían fuertes sentimientos al respecto, algunos ofrecieron sus perspectivas que iban desde observaciones generales, "Parezco un mexicano normal," hasta proporcionar una dirección más específica a los dibujantes sobre cómo preferirían, o no preferirían, ser representados. Un punto de consenso entre los narradores fue que querían ser representados como personas en lugar de animales antropomórficos o figuras de palitos. Con respecto a los entornos anónimos, el proyecto trabajó para establecer narrativas en paisajes agrícolas genéricos que no podían vincularse a ningún lugar en particular. A lo largo de las historias se repiten escenas que presentan grandes establos de ordeño industriales, campos de maíz y heno y maquinaria agrícola dispersa cuyas interpretaciones personifican el poder de las caricaturas para expresar el sentido de algo sin necesidad de ser específico para hacerlo. Además, estos paisajes genéricos encarnan bien la naturaleza industrial de la ganadería lechera contemporánea en Vermont, y su falta de rostro es un reflejo del paisaje en el que estos trabajadores viven y trabajan.

Como se señaló anteriormente, estos son solo dos aspectos de la intersección de los cómics y la praxis etnográfica que surgieron a través de nuestro trabajo en *El viaje más caro*, y mientras avanzábamos con dificultad en nuestros esfuerzos, tropezamos con muchas otras preguntas y desafíos relacionados con los cómics, la atención médica y la etnografía. Una consideración clave involucró la necesidad constante de equilibrar los objetivos vitales aplicados al cuidado de la salud del proyecto con la ética y los métodos de participación etnográfica. Por un lado, buscamos crear cómics que abordaran distintas categorías de temas relacionados con la atención médica identificados por los proveedores del equipo, temas que surgieron en base a interacciones clínicas e incluyeron temas como la soledad, el aislamiento, el trauma, el abuso de sustancias, entre otros. Pero ¿qué pasa si las categorías identificadas por nuestros proveedores de atención médica no se alinean completamente con los datos contenidos en las narrativas registradas por los etnógrafos? ¿Qué pasa si, a través del proceso de investigación etnográfica, determinamos que los trabajadores sienten que otros problemas relacionados con sus circunstancias son más urgentes? ¿Qué perspectivas privilegiamos?

También luchamos con la complejidad de la representación textual del habla oral, un desafío agravado por las percepciones y los prejuicios en relación con la variación regional y de clases en el español hablado, el dialecto, la traducción y la re-traducción. Como se señaló anteriormente, los trabajadores a los que se dirige el proyecto provienen de todo México y América Central y, para muchos, el español es un segundo idioma. ¿Deberíamos, como interlocutores, estandarizar el español que hablan nuestros socios de investigación en aras de una comprensión más amplia que pueda promover nuestros objetivos de atención médica aplicada? ¿Deberíamos honrar sus formas individuales de hablar a riesgo de resaltar las diferencias regionales y de clase y provocar prejuicios conscientes e inconscientes entre los lectores de habla hispana? Además, ¿qué constituye el español "estándar" y quién es el árbitro de qué lo hace? Agréguese a esto las implicaciones que rodean lo que significa que los dibujantes que no hablan español trabajen con el texto traducido para empezar, y los lectores pueden desarrollar una idea de algunos de los procesos en los que trabajamos a medida que se desarrollaba el proyecto.

Finalmente, ¿cuáles son las implicaciones del dibujo en relación con la reflexividad y la subjetividad? Debido a las percepciones culturales de larga data de la subjetividad del arte visual, ¿es el dibujo un reflejo innato en formas que difieren de otros modos de representación etnográfica, incluido el texto? ¿Y qué más hay que aprender? Como señalan Kuttner, Sousanis y Weaver-Hightower (2018), los cómics representan un medio emergente para presentar la investigación académica. Los etnógrafos todavía están comenzando a darse cuenta del potencial y los peligros de un enfoque etnográfico de la caricatura, y estamos felices de que nuestros esfuerzos, a nuestra manera, puedan contribuir potencialmente a la discusión emergente en torno al arte visual y la narrativa etnográfica, particularmente en cómo se cruza con la medicina gráfica.

Trabajos citados

Afonso, Isabel y M. J. Ramos. "New graphics for old stories. Representation of local memories through drawings." *Working Images: Visual Research and Representation in Ethnography*. Eds. Pink, L. Kürti, y A. I. Afonso, 72-90. London: Routledge, 2004.

Arcury, Thomas A., y Sara A. Quandt. "Delivery of Health Services to Migrant and Seasonal Farmworkers." *Annual Review of Public Health* 28 (1) (2007): 345–63. https://doi.org/10.1146/annurev.publhealth.27.021405.102106

Atkins, Michael. The Dark Side of the Village. Nd. https://comicsforum.files.wordpress.com/2012/02/dark-side-of-the-village.pdf (accedido 2018-04-26)

Bartoszko, Aleksandra, Anne Birgitte Leseth y Marcin Ponomarew.

"Public Space, Information Accessibility, Technology and Diversity at Oslo University College." 2010. https://anthrocomics.wordpress.com/ (accedido 2019-09-19)

Bechdel, Alison. *Fun Home: A Family Tragicomic*. Mariner Books. NY, 2007.

Causey, Andrew. ""You've got to draw it if you want to see it": Drawing as an Ethnographic Method." Teaching Culture. 2015. http://www.utpteachingculture.com/youve-got-to-draw-it-if-you-want-to-see-it-drawingas-an-ethnographic-method/ (accedido 2018-04-26)

Causey, Andrew. *Drawn to See: Drawing as an Ethnographic Method.* Toronto: University of Toronto Press, 2019.

Chute, Hilary. *Disaster Drawn: Visual Witness, Comics, and Documentary Form.* Harvard University Press, Cambridge, MA, 2016.

Crowther, Gillian. "Fieldwork Cartoons." *Cambridge Journal of Anthropology.* 14(2) (1990):57-68.

Crowther, Gillian. "Fieldwork Cartoons Revisited." Teaching Culture. 2015. http://www.utpteachingculture.com/fieldwork-cartoons-revisited/ (accedido 2018-04-26)

Galman, Sally. *Shane, The Lone Ethnographer: A Beginner's Guide to Ethnography.* Lanham, MD: AltaMira Press, 2007.

Galman, Sally. "The truthful messenger: visual methods and representation in qualitative research in education." *Qualitative Research* 9 (2) (2009): 197-217.

Galman, Sally. *The Good, the Bad, and the Data: Shane the Lone Ethnographer's Basic Guide to Qualitative Data Analysis.* New York: Routledge, 2017.

Getz, Trevor R. y Liz Clarke. *Abina and the Important Men: A Graphic History.* New York: Oxford University Press, 2015.

Hamdy, Sherine, Coleman Nye, Sarula Bao y Caroline Brewer. *Lissa: A Story about Medical Promise, Friendship, and Revolution.* New York: University of Toronto Press, 2017.

Harrison, Jill, Sarah Lloyd, y Trish O'Kane. "Overview of Immigrant Workers on Wisconsin Dairy Farms." *Changing Hands: Hired labor on Wisconsin Dairy Farms Briefing No. 1.* UW-Madison Program on Agricultural Technology Studies, 2009.

Hoffmann-Dilloway, Erika. 2016a. Chatting While Water Skiing, Pt. 1. Teaching Culture. http://www.utpteachingculture.com/chatting-while-waterskiing-part-1/ (accedido 2019-12-10)

Hoffmann-Dilloway, Erika. 2016b. Chatting While Water Skiing, Pt. 2. Teaching Culture. http://www.utpteachingculture.com/chatting-while-waterskiing-part-2/ (accedido 2019-12-10)

Hoffmann-Dilloway, Erika. 2016c. Chatting While Water Skiing, Pt. 3. Teaching Culture. http://www.utpteachingculture.com/chatting-while-waterskiing-part-3/ (accedido 2019-12-10)

Ingold, Tim. (Ed.). *Redrawing Anthropology.* London: Routledge, 2011.

Ingold, Tim. "Toward an Ecology of Materials." *Annual Review of Anthropology* 41 (1) (2012): 427–42.

Kandel, William. *Profile of Hired Farmworkers, a 2008 Update* Washington, DC Economic Service. 2008. https://www.ers.usda.gov/publications/pub-details/?pubid=46041 (accedido 2020-01-06)

Kuttner, Paul J., Nick Sousanis y Marcus B. Weaver-Hightower. "How to Draw Comics the Scholarly Way: Creating Comics-Based Research in the Academy." *Handbook of Arts-Based Research.* Ed. Leavy, Patricia, 396-422. New York: Guilford Press, 2018.

Madison, D. Soyini. *Critical Ethnography: Method, Ethics, and Performance.* Thousand Oaks, CA, 2019.

Mares, Teresa. *Life on the Other Border.* Oakland: University of California Press, 2019.

McCloud, Scott. *Understanding Comics: The Invisible Art.* William Morrow, NY, 1994.

Parsons, Bob. "Vermont's Dairy Sector: Is There a Sustainable Future for the 800 Lb. Gorilla?" Opportunities for Agriculture Working Paper Series, Vol. 1, No. 4. Burlington: University of Vermont Center for Rural Studies, 2010.

Radel, Claudia, Birgit Schmook, and Susannah McCandless. . "Environment, Transnational Labor Migration, and Gender: Case Studies from Southern Yucatan, Mexico and Vermont, USA." *Population and Environment* 32, nos. 2–3 (2010): 177–97.

Ruby, Jay. *Picturing Culture: Explorations of Film and Anthropology.* 2000. University of Chicago Press, Chicago, 2000.

Sacco, Joe. *Palestine.* Fantagraphics, Seattle, W, 2001. http://www.fantagraphics.com/palestine/ (accedido 2020-01-06)

Satrapi, Marjane. *Persepolis: The Story of a Childhood.* Pantheon, NY, 2003. (edición traducida)

Shea, Erin. Comunicación personal. 2013.

Southern Poverty Law Center. "Injustice on Our Plates: Immigrant Women in the U.S. Food Industry." 2010. https://www.splcenter.org/sites/default/files/d6_legacy_files/downloads/publication/Injustice_on_Our_Plates.pdf

Spiegelman, Art. *Maus: A Survivor's Tale.* Pantheon, NY, 1986.

Taussig, Michael. *I Swear I Saw This.* University of Chicago Press, Chicago, 2011.

Theodossopoulos, Dimitrios. *Solidarity: a graphic ethnography.* 2015. https://imaginative-ethnography.com/solidarity-a-graphic-ethnography/ (accedido 2020-01-06)

Venkataramani, Chitra. *Trachyte.* 2015. http://imaginativeethnography.org/imaginings/comics/trachyte/ (accedido 2020-01-06)

Vermont Dairy Promotion Council. *Milk Matters: The Role of Dairy in Vermont.* 2015. http://vermontdairy.com/wp-content/uploads/2015/12/VTD_MilkMatters-Brochure_OUT-pages.pdf (accedido 2020-01-06)

Villarejo, Don, David Lighthall, Daniel Williams III, Ann Souter, Richard Mines, Bonnie Bade, Steve Samuels, Stephen McCurdy. *Access to Heatlh Care for California's Hired Farm Workers: A Baseline Report.* California Program on Access to Care, University of California, 2001. http://citeseerx.ist.psu.edu/viewdoc/download?doi=10.1.1.452.89&rep=rep1&type=pdf

Villarejo, Don. "The Health of U.S. Hired Farm Workers." *Annual Review of Public Health* 24 (1) (2003): 175–93. https://doi.org/10.1146/annurev.publhealth.24.100901.140901

Wadle, Hannah. "Anthropology goes Comics." Comics Forum. 2012. https://comicsforum.org/2012/02/03/anthropology-goes-comics-by-hannah-wadle/ (accedido 2020-01-06)

Walrath, Dana. *Aliceheimer's: Alzheimer's Through the Looking Glass.* Penn State University Press, 2016.

Wolcott-MacCausland, Naomi. *Vermont Dairy Farms and Bridges to Health.* Informe programático. Saint Albans: University of Vermont Extension, 2017.

———. "BTH Data." 21 de septiembre, 2017.

Wolcott-MacCausland, Naomi y Erin Shea. Comunicación personal. 2016

Wright, Lucy. "Ethnographics." 2018. https://www.vermontfolklifecenter.org/fieldnotes/culture-through-comics-wright (accedido 2020-01-07)

Los CRÉDITOS

Nuestros narradores utilizan seudónimos para proteger la privacidad y seguridad de las personas involucradas.

Un nuevo tipo de trabajo

La historia de Delmar
Entrevista realizada por Teresa Mares
Traducida por Ammy Martinez
Material gráfico diseñado por Tillie Walden
Corregida por Sara Stowelll

Un recuerdo doloroso

La historia de José
Entrevista realizada por Chris Kokubo
Traducida por Chris Kokubo y Julia Grand Doucet
Material gráfico diseñado por Marek Bennett
Corregida por Magnolia O.

Vale la pena

La historia de Gregorio
Entrevista realizada por Julia Grand Doucet y Marie Vasitis
Traducida por Marie Vasitis
Material gráfico diseñado por Kevin Kite

El primer amor de toda mujer debería ser el amor propio

La historia de Guadalupe
Entrevista realizada por Chris Kokubo y Julia Grand Doucet
Traducida por Cooper Couch
Material gráfico diseñado por Iona Fox
Corregida por Digo Galan Donlo

Lejos de mi familia

La historia de Carlos
Entrevista realizada por Teresa Mares y Julia Grand Doucet
Traducida por Olivia Raggio
Material gráfico diseñado por Kane Lynch
Corregida por Roberto Veguez

Se sufre para venir

La historia de Rubén
Entrevista realizada por Chris Kokubo y Julia Grand Doucet
Traducida por Nathan Shepard
Material gráfico diseñado por Teppi Zuppo
Corregida por Roberto Veguez

Algo adentro / Something Inside

La historia del emigrante de Hidalgo
Entrevista realizada por Teresa Mares y Julia Grand Doucet
Traducida por Susan Stone y Marek Bennett
Material gráfico diseñado por Marek Bennett (los cómics)
                          y el migrante de hidalgo (las pinturas)

En tus manos

La historia de Jesús
Entrevista realizada por Julia Grand Doucet y Josh Lanney
Traducida por Marie Vastis
Material gráfico diseñado por John Carvajal

Serás aceptado

La historia de Daniel
Entrevista realizada por Julia Grand Doucet y Raul Terrones
Traducida por Raul Terrones
Material gráfico diseñado por Teppi Zuppo

Un corazón partido en dos

La historia de Juana
Entrevista realizada por Estafania Puerta
Traducida por Estafania Puerta
Material gráfico diseñado por Michael Tonn
Corregida por Roberto Veguez

Lo mejor de aquí

La historia de Gustavo, Julio y Alexis
Entrevista realizada Teresa Mares y Julia Grand Doucet
Traducida por Susan Stone
Material gráfico diseñado por Angela Boyle
Corregida por Roberto Veguez

Se sufre para sacar a la familia adelante

La historia de Pablo y Riley
Entrevista realizada por Naomi Wolcott-MacCausland
Traducida por Naomi Wolcott-MacCausland
Material gráfico diseñado por Rick Veitch
(Una producción de Eureka Comics)

No era nuestro plan

La historia de Ana
Entrevista realizada por Jessie Mazar y Teresa Mares
Traducida por GMR Transcription
Material gráfico diseñado por Glynnis Fawkes

Ya que tengo mi licencia

Las historias de Piero, Saul, Olivia y Paco
Entrevista realizada por Naomi Wolcott-MacCausland
Traducidas por GMR Transcription, Marek Bennett,
        Julia Grand Doucet y Naomi Wolcott-MacCausland
Material gráfico diseñado por Marek Bennett

Bien juntos los dos

La historia de Felix y Alejandro
Entrevista realizada por Naomi Wolcott-MacCausland
Traducida por Naomi Wolcott-MacCausland,
        Sebastian Castro y Roberto Veguez
Guion escrito por William Woodcock, jr.
Material gráfico diseñado por Greg Giordano
Corregida por Julia Grand Doucet y Roberto Veguez

El lenguaje es poder

La historia de Carlos y Bob
Entrevista realizada por Julia Grand Doucet
Traducida por GMR Transcription
Material gráfico diseñado por Ezra Veitch
Corregida Julia Grand Doucet

¿Cómo explicas esto?

La historia de Ana Teresa
Entrevista realizada por Julia Grand Doucet
Traducida por C. Alicia Rodriguez
Material gráfico diseñado por Sashwat Mishra
Corregida por C. Alicia Rodriguez

La escuela de vida

La historia de Ponciano
Entrevista realizada por Teresa Mares y Jessie Mazar
Traducida por Jessie Mazar
Material gráfico diseñado por Michelle Sayles
Corregida Naomi Wolcott-MacCausland y Marita Canedo

Lo que he sembrado acá

La historia de Lara
Entrevista realizada por Naomi Wolcott-MacCausland
Traducida por Naomi Wolcott-MacCausland
Material gráfico diseñado por Tillie Walden

Agradecimientos especiales a:

MK Czerwiec

Christopher Kaufman Ilstrup

Ximena Mejia

Kaitlin Thomas

Roberto Veguez

University of Vermont Humanities Center

Vermont Community Foundation

Vermont Farm Health Task Force

Vermont Humanities

y especialmente

Todos los trabajadores migrantes de agricultura
que ayudan a producir los alimentos que comemos.

CPSIA information can be obtained
at www.ICGtesting.com
Printed in the USA
JSHW020356170423
40396JS00003B/14

9 780916 718213